A Nippick o' Nor' East Tales

A Doric Hairst,

by Sheena Blackhall

with an introduction by Leslie Wheeler

BY THE SAME AUTHOR ...

The Cyard's Kist, published in 1984

The Spik o' the Lan, published in 1986

Hamedrauchtit, published in 1987

ACKNOWLEDGEMENTS

The original version of 'The Cross', first published in Leopard magazine, is here, reset in Scots. Most of the remaining stories have appeared variously in Lallans, Chapman, and the Buchan Observer. I am greatly indebted to Leslie Wheeler for his introduction, and to Rosemary Dukes and Margaret Eleftheriou for their encouragement and support.

A Nippick o' Nor' East Tales
A Doric Hairst,

by Sheena Blackhall

with an introduction by Leslie Wheeler

KMP

Keith Murray Publications

Published by
Keith Murray Publications
46 Portal Crescent
Tillydrone
Aberdeen
AB2 2SP
Scotland

Printed by The Acorn Press, Carnoustie

Illustrations, by the Author

The publisher acknowledges subsidy from the Scottish Arts Council towards the publication of this volume.

ISBN 1 870978 09 9

This book is dedicated to my children,
Morven, Ross, Morag and Kenna

INTRODUCTION

In his book 'Scots — The Mither Tongue' (Mainstream Publishing, 1986), Billy Kay writes: "From Alexander Ross at the end of the 18th. Century through till the present day, the North-East has been the most vital area in regional literature in Scots". This volume of short stories is further testament to that claim.

Sheena Blackhall has delighted us in the past with her poetry in Scots and here she applies her undoubted skill as a story-teller and her awesome command of the rhythms and cadences of the North-East tongue to the short-story form. The result is at once startling and very impressive.

With seemingly consummate ease she demonstrates her eye for situation, her unerring instinct for characterisation, her ear for the real speech of the people. Those who react in horror at dialect should bear in mind that to countless hundreds it is the language of their everyday lives and it is sadly neglected on the printed page. Few writers have Sheena Blackhall's facility to use their native tongue and maintain poetic quality of language to such telling effect.

Nor must we dismiss the stories as 'quaintly regional'. Obviously they reflect their home, but they say much more about people and the fates that order their lives; in many respects mirroring the timeless and universality of the 'muckle sangs' of which Sheena Blackhall is no mean performer. Chae Dalroy's pathetic death, as a victim of the social consequences of progress is balanced by the telling humour of 'Lily o'the Field', while we find death and humour comfortably yoked together in 'Bonnie's Nae Aathing'. 'Wattie Cochrane's Coortin' vividly illustrates, in devastating brevity, the life and experiences of so many crofters in a land that is as unyielding as themselves.

Sheena Blackhall has produced one of the most important collections of true Scots short stories to be published in the past decade and they are 'true' because commercial considerations have not forced her into compromise and into writing solely in English. When plot, place and people demand it she writes in her native Scots and, while some may find it difficult to comprehend the language, a genuine attempt at understanding will prove to be very much worth the effort.

LESLIE WHEELER

CONTENTS

THE ROUP

Chae Dalroy cleekit the hinmaist strap o' harness ower a hingin cleuk i' the barn, afore stridin' oot, ontil the bare, braid parks o' Dundore. Hard by, tae the wast, wis Leezie's wid, a touzelt boorich o' birk, rowan an' taiglit deid bramble buss, that ringed his fairm like a targ...His fairm, an his faither's afore him, lyin quate aneth the foreneen haar, curlin awa like kittlins' tails aneth the blae sun.

It wis early Spring in the Howe, and the snaw clung, dour, tae the braes. The lan wis black an teem, priggin ye tae pleu it; coorse roch grun, that wore ye doon, year in, year oot, wi its enless tcyauve, an the weet, hairtless sottar o't. Bit nae ony mair. Nae efter the roup. Calvin towes, hyewes, barras and besoms, furls o' binder twine, war trig an unsnorrelt, set aside derk, dreeping raws o' machinery ben the parks, their darg dane, wytin fur the auctioneer's haimmer, an the steer o' fowk tae bid them awa, wi a wink or a tuggit bunnet.

There'd bin a time thocht Chae, fin Dundore hid bin a fine place tae fee, afore the young laird hid cam, wi his college spik o' modernisation that a body wad need a degree tae unnerstaun...ay, an even then, it wad hae been a kittle leap tae mak, frae the safe, kent wyes o' fairmin he'd been reared on. He'd unnerstood weel eneuch, tho, fin the laird raised the rent. Yon wis the strae that hid brukken Dalroy's back.

His wife Molly wis toun bred, and caredna a snuff fur the place. They gaed thegither tae the antrin dance, or mart, her lauch a thochtie ower bricht, his drinkin a bittick ower deep, nae better nur waur nor maist. Like a bad hairst, they made a kirk or a mill o' their merriege, makkin the best o' an ill-fittin bargain. He'd watched her mirkie bonnieness crine an soor intil crabbit middleage, grown scunnert o' her jawin, ay wintin, wintin, snappin at his doup like a thankless tyke; the toun quine wi her chaip mou, and her flashy claes, hid langsyne bin mair a stob nor a rose in his een. Mebbe, noo, tho, wi the prospeck o' a toun hoose tae please her, her tongue wad gie him peace.

Their loon, John wid be weel-suited, the feckless stock. It hid niver struck Chae that his ain laddie wad sik tae be onything ither nur a fairmer. He'd taen him as a bairn in hippins, rowed up in an auld rug at the foun o' the tractor cab, learnin him ilkie stick an stane o' Dundore as his faither hid dane wi him. At a coorse calvin, fin John wis o' an age tae be o' eese, he'd socht his help in the byre; bit the loon niver bedd lang, stude, chitterin wi cauld at his faither's back, an jinkit awa first chance, back tae the warm hoose, an his mither's molycoddlin. There'd be nae mair Dalroys in Dundore, nae noo, nae iver. John hid shakkin the stew o' the place aff his buits last simmer, apprenticed tae a mechanic in the toun. Yon wis fit Chae Dalroy got, fowk said, fur mairryin a toun-bred wummin, an it hid brukken his hairt.

There wis an oor in haun, afore the roup sterted. Chae dandered ower tae the wid, fur he cudna sattle. His faither hid whyles taen him there, tae ett their piece at hairst times, his mither's hame-made bannocks and a flask o' tay, far it wis shady an cweel. He mindit on a wee confab the twa a them hid haen, doupit doon thegither in a puil o' sunlicht, midges heezin roon their heids like blawn chaff.

"I wish we ained Dundore, da," Chae hid said, "Insteid o' jist rentin the fairm." "Happen we dinna ain it laddie," cam the answer. "Bit fyles, I think, that mebbe, it ains us."

Chae thocht yon a gey queer spik at the time. Noo, fin it wis ower late, he half kent fit the auld man hid meant. He'd an inklin o' fit retirement wad be...a smaa hoose, beeriet in suburbia, stappit wi trash frae the weemins catalogues his Molly wis ay buyin, wi a postage stamp o' a gairden. He'd keepit a soo wi a bigger pen tae breenge aboot in...

Jist as he turned tae leave the wid, he heard a bairn's lauch...heich, an jeelin. He devauled, an bedd a meenit. Fit bairn wid be runnin lowse i the wid at this oor? They sud aa be at schule. He swypit aside a birk branch, catchin a glimmer o' the truant...a loon, riggit oot in brikks that gaed ooto fashion fifty years ago. An syne, Chae's hairt turned ower, fur the loon hid his faither's een, an his faither's queer, lopsided smile ...and yon wis a thing unthinkable. As he luikit dumfounert, the halflin melled awa. A trick o' the licht, yon wad be the wye o't. Chae wisna a fancifu chiel. Mebbe, he wis as auld an eeseless as Molly ay said. The sun hid deid, an the win wis wintry...

He dauchled, ower gaun hame tae the teem hoose. Molly wis hyne awa sattlin intil their new hame. As he gaed inby the kitchie, a fleepaper flappit idle at the windae. Stacks o' ashets lay wytin the auctioneer's haimmer, trim an ticketed like the ferlies oot in the park...a hale lifetime's gear, pegged oot fur the heichest bidder. He sighed, and raiked ben the sideboord drawer fur the kent comfort o' his pipe an baccy, far it lay amang some o' his faither's trock. His haun lichtit on his faither's pistol, a relic o' the First World War. Yon sud be laid oot fur sale, Dyod, ay, it wad fetch a guid price the day. John wadna gee his ginger about heirskip, aboot keepsakes. Aside the pistol, wis his faither's diary. There wis half an oor wintin, afore the roup sterted. He sat doon on a kitchie steel, tae read it. The hinmaist entries war scrawled, scrieved efter the auld man wis beddit wi his last illness, clear eneuch, ay, tae mak oot. "Thanks be tae God, the hairst is in. He's a fine son, Chae. It wad hae greived me sair tae see Dundore, in a stranger's hauns; it is ma greatest comfort, kennin Chae will tak ower. I'll sleep the souner fur yon. Thy will be done."

There war nae ither intries. Chae Dalroy steekit the buik slaw, like a bairn waukinin up frae a lang, lang, sleep. At last, at last, the full wecht o the roup cam doon on him. He thocht o the bairn in Leezie's wid, a fell unchancy thing. He thocht o' himsel in the new hoose i the toun, tint in the mids o' a muckle steer o' streets, an eeseless, spent auld man, a bull ootlived its purpose, an kent fit he maun dae.

The auctioneer fa cam tae Dundore yon day was a brisk birkie. Gin Chae Dalroy wisna wytin tae greet him, sae be it. He'd stert the sale wi 'oot him. Fyles, it tuik some fairmers like yon, at the last. Buyers heezed aroon, sherpeed, on the scraun fur bargains, tellin b'a dry nod, or a tuggit bunnet, that they socht tae bid. Dalroy hid aye keepit a trim byre; sune, aa his gear wad be cairted ower the hills in bits o' cars an vans, haimmered awa wi the auctioneer's chap. A gran day oot fur the bairns, the aulder fairm fowk newsin aside the horse harness, winnerin that a chiel like Dalroy hid keepit sic auld-farrant dirt, fa's last horse wis selt forty years syne. Boxfus o' tools clanked heich tae the auctioneer's table. They war cannie fowk in the Howe. Naething wad be wasted. Like craws ower a sick lammie, ilkie pikk wad fin a wame.

Bit wi the lave o' the fine machinery selt, fowk dwinlit awa. Anely the hoose-trock wis left tae be rouped, tho a puckle ill-fashent hoosewives, an antique dealers war keen tae see them. There war brose bowls, an muckle ashets that hidna seen service sin the days o' the shire horses, fin chaumers, stappit wi men fowk wirked them. The American ile fowk, wad like yon. A bourich o weemin, an bletherin city dealers, turned inbye the kitchie door o' Dundore.

The auctioneer gaed forrit first, keepin up a cheery banter. He stoppit, froze, fur aince, tint fur wirds. Reistin on the table, mids dishes and knives, an forks, a smile set on his mou, an' an auld leather diary in his left haun, wis the maister o' Dundore fairm himsel. He cud even hae bin sleepin, bit fur the wee reid hole on his broo, an the treelip o' bluid, that ran like a scarlet scrat doon his chikk. Chae Dalroy wad be bidin, efter aa.

Annie Ross dichtit the back o' her haun ben her broo, ferfochen, far a skiffen o' grey hair hid faan frae her kerbygrip. The toot o' the fishie's van ootbye, wis unwintit. Damn the body, he'd cam early, an her scones half-bakit. Annie cud bare thole the fishie; he wis ower fond o' sklaik, ay diggin the dirt in ither fowk's middens. She keepit hersel till hersel, an likit ithers tae dae the same. She wheekit up her purse, and hauled on her wirkin wellingtons, muckle misshapen things, walkin oot tae the glaur o' the coort tae meet him.

"The usual, Annie?" the fishie speired, his mou fixed in a grin. He wun a dreich "Ay" frae Annie, an rugged oot a tray o' glimmering herrin. Bildownie wis a queer place, he thocht. The anely fairm on his hale roon, far he niver got the braith o' a fly cup, or a blether, tae brak his journey. Still the wummin wirked the lan weel, wi her sons, Dan, an Sim, an a body maun mak allowances fur Annie Ross's wyes. It cudna hae bin easy, bringin a faimly up hersel...them, an yon half-wit brither o theirs. He wis rowin the herrin intil a fite parcel, fin the half-wit Abby, scooshlit roon frae the byre.

"Mither!" the gype screiched. His mither's birse raisse, she near drappit the fish wi roose.

"Get ben tae the hoose. Get in, I'm tellin ye," she warned, an the daftie's face fell. He hobblit inbye, awkward like. The fishie wis blaikit, tryin tae smooth things ower. He speired, in a vyce o' some concern, foo she managed tae cope. "We aa hae wir cross tae bear," cam the answer.

Faith, yon wis her stock answer tae ony queries regairdin her youngest loon, fur yon wis the wye she saw him, as her ain, wechty, cross.

There wis jist ae thing the daftie unnerstood, an yon hid bin dinned intil him since afore he'd bin knee-heich till a whuppet. He was niver tae leave Bildownie, nae iver, wi oot his mither, or anither sensible body. She wippet him tae her heel b' threat, an steady watchin, as surely as if he'd bin chyned tae her.

Fowk sklaiked unca aboot the daftie at Baldownie, till the sklaik wis cauld kail hett again, bit he wis hairmless eneuch. He kent the fairm like the back o' his haun, fur he kent naething else. His ae bit freedom cam, fin his mither sent him up the hill tae gaither dry sticks fur kinnlin. He'd catched a coorse hoast, ainst, up there amangst the whunns, an half-mindit the doctor's confab wi his mither anen't.

"Tend him weel," the chiel hid said, peelin aff his stethoscope. "The laddie's haen a nesty chill. In anither bairn, it micht hae bin fatal."

In anither bairn, ay, Annie hid thocht ruefully. Bit nae in Abby. She swypit the thocht aside.

"It's a gey queer body that cudna luik efter their ain bairn," she'd snappit back, a thochtie ower quick. An' she wis as guid as her wird. He wis dosed wi peels, his claes redd up, his hair caimed, an' his belly fed. His buits war blaiked an' his sheets tirred ilkie day, fur he niver learned the airt o' keepin the bed dry. Naethin wis wintin, except fur love. An yon wis anither cross that Annie hid tae bear, fir she cud niver love the daftie she'd gien birth till.

Abby hidna left Bildownie, sin' he'd grown ower big fur speecial schule. He'd likit the speecial schule. There war ithers there, like himsel. Fowk spak kind, an quate till him there, an' there war bonnie geegaws tae play wi. He likit the bonnie toys; wad rin oot, gledly, tae climm on the bus that tuik him hyne awa frae Bildownie, tae the skyrie biggin blocks, an peints, an warmth o' the schule. Ae day, the bus didna come tae tak him awa. His mither said it wis niver comin back. It wis a punishment, she telt him, fur piddlin his sheets. Fin his bed wis dry, fin he stoppit slaverin, fin he wis less o' a gype, then mebbe, ay, mebbe it wad cam again.

Yon hid bin a sair day fur Abby. He'd hirplit roon an roon the coort, wullin the bus tae cam, like a tethered breet. He wad be guid...he wad try that hard tae be guid...he ran tae his mither tae tell her, bit she cauld-showdered him, scunnert.

Syne, he'd dowpit doon in a neuk, showdin back an' fore, airms ticht roon his knees, sookin the tail o' his sark, till he mindit on the bonnie ferlies at the schule again, an wintit them mair nur iver.

Rocht-up, he ran oot an doon the brae, hyterin on his ill-made shanks, slidderin doon the road leadin ooto Bildownie. Sim hid spied him frae the park, an Dan, tae, far they war hyewin neeps. Baith brithers stoppit their wark an lowpit ower the rigs efter the daftie. An Abby wis taen hame. Annie'd niver struck the gype afore, maistly, she cud scarce thole tae touch him, bit yon day she leathered him till there wisna a bane in his frame, that didna dirl. Efter yon lickin, Abby spent mair an mair time alane on the hill, an thocht nae mair on the bonnie toys.

The wechty iron yett, frae the cattle coort intil the park, nocht sortin. It hid grown unchancy, fur the cross-spars war roostit; bit Dan an Sim war ay ower hashed tae set it tae richts. Annie hersel, tuik twine frae the byre, tae haud the bars snod. Abby watched frae ahin the bales, in disgrace. He'd drappit a plate at dennertime, hid bin gart bide wi the cats that bred, an scrattit an stalked the antrin moose, in the byre. The bull wis dirdin his muckle black snoot teetle his pen. His wives war lowse in the park, he wis mad tae be at them. The daftie heard the dunt, dunt, dunt, o' the roosed breet. It wis coorse, tae be tethered like yon. He kent fit it wis, tae be tethered.

Slawly, Abby liftit the snib, syne fell back as the bull breenged by him makkin fair fur the yett that Annie wis quately sortin. She gied a bit skirl o' begeck, that deid an smored in her thrapple, as the bluid raise weet till her mou. The bull rampaged ootower the park, as the yett sweenged back an doon, ontil the fooshionless body o' the wummin. Abby hirplit ower, cannie.

"Mither..." quo he, creepin close. "Fit game's this yer playin?"

The deein mou workit, the wirds cam oot, pleadin.

"Ging doon the road, Abby. Rin fur help."

"Ye'll nae catch me yon wye," lauched the daftie. "I'm nae wintin a lickin."

Furlin on his heel, he cripplit back up the brae.

An oor efter, the fishie revved his van intil the fairm track. Hyne awa in the ootlyin parks, he saw Dan an Sim, booed ower the neeps like twa blaik, lumberin mowdies. The fishie dauchled, an gied a toot, wytin fur Annie tae cam oot frae the kitchie. Naething steered, bit a muckle gray cat, that arched its fur, an spat. As unceevil as the rest o' the crew in this airt, thocht the fishie, tootin again. Efter a puckle o' meenits, he lowpit doon frae the van, an plytered ben the dubs tae chap on the door. There wis nae answer. Heich on the hill, he cud see the daftie showdin an singin tae himsel. Mebbe Annie wis doon in the park; she vrocht as hard as her loons, he thocht. Sweir tae miss a sale, the fishie turned roon b' the coort.

He stoppit at the yett, his face doon-turned till the grun, turnin the colour o' aisse. Fur fit wis there, bit the sma, still shape o' Annie Ross, her hair weet, her een set, an ower her back the brukken spars o' iron, wechty an derk. Fur a the warld, like a cross......

Sweet Brier, Gillespie Lane, wis a blae biggin, granite frae foun till tap an reefed in slate, wi' fower clay lums, an' jist ane rikkin, staunin straucht's a Gordon Heiland sodjer on parade.

Its rooms war hidden b' lace screens, its front door wis keepit ticht shut as a nunnery, an' whit for wad it nae be, wi' anely the twa auld weemin bidin their lane, lang by the age o' coortin?

Gin ye tuik a turn frae the rain-sweeled cassies at the front, tae the auld-farrant gairden ahin, ye wad see puckles o' queer ferlies, o' the kind that twa auld bodies winna pairt wi, frae thrift an thrawness...aince eesfu, bit lang since eeseless. There wis a gean tree, wi nae muckle blossom; there wis a fit scraper; there wis a hantle o' clay pigs, an' a brukken mangle, an' a wheen jam jars, grown green wi hairy mould. There wis a slab-steen pathie, chokit wi' girse, a pail wi' nae boddom, an' an orra cloot aside it, bleached fite frae bein oot in aa weathers which made it a hame fur hornygollachs, an' forkietails, an' minni-minnie-mony feet, frae aa the airts. Last, bit nae least, (fur it wis the brawest thing in the gairden) there wis an auld kist, that served as a garden seat on sunny days (tho there war gey fyew a' them) flanked b' regiments o' thistles, nettles, an' a hale platoon o' wanderin willies.

It wis a gairden fu o' fat wyvers, spinnin their pearlin wabs, like gentrys' lacy falderals, hung oot tae dry, an daddy-lang-legs, skyscraperin ben the jungle o' weeds like lang giraffes. It was an oot-o-the-wye gairden, a forgotten gairden, a bairn-less gairden wi' a heich waa tae block aff the lane; a waa studdit wi' sherp, brukken, glaiss shards at the tap, like the knives on the war queen Boadicea's chariot, the better tae keep oot geets an' kittlins, twa varieties o' bein noted fur ill-faschence an' ill-tricks.

The warld, in the shape o' the postie, kent the occupants o' Sweet Brier, Gillespie Lane, as Miss Buchan an' her mistress, Mrs Forbes. Mrs Forbes in particular, likit a quate hoose, an' a quate gairden, an faith, she fairly hid that, fur she wis as deef as a deid blue-bottle, an' as blin's Methuselah's bat. Maistly tho', it wis Miss Buchan I wad catch a glimsk o' in the bygaun, an auld bodach, twa-fauld's a buckie takkin in their ae pint o' milk o'a mornin frae the doorstep, ay weirin a lang treelipin skirt o' chercoal-grey, wi' a blaik peenie abune't, her neb near touchin her chin, like a half-meen.

Tither bairns war feart fur Miss Buchan, an thocht her a witch, or a bogle. She wis queer eneuch for't, bit wintit the wits, I thocht, tae be richt sib wi the Deil, fur they telt ye in kirk, he wis a gey clivver cheil. Ye'd need a quick tongue in yer heid tae parley wi' him, an aathin Miss Buchan did wis slaw. Forbyes, she hidna a cat, nur a taed aboot the place, nur even a pintit hat...tho' Sweet Brier wis niver deaved wi guizers on Halloween like the hooses roon aboot. Nae dookin fur aipples or skylarkin there. Wattie McKay frae Number six ay crossed hissel fin he passed the door, an' him nae even a Catholic. My mither leuch at yon fur the styte that it wis.

"Miss Buchan's anely Mrs Forbes's skiffie, quine. Her name's Nan. They're twa puir craiters fa deserve bairn's peety, raither nur spite. They widna hairm a flee."

Aince, in the coorse back-en o' the year, fin the cassies war teem o' bairns and the beech trees ower the road war dreepin sleet, fin Nan Buchan hidna shown face fur a whylie, ma mither sent me doon wi' a bakin o' bannocks rowed up hett aneth a linen cloot, on a deintie wee tray, fur the twa auld cailleachs, neerbourly-like.

I wis rale feart tae chap on the door. Ma hairt wis gaun pit-a-pat like a frichtit moose rinnin frae a hoolet. I gaed roon tae the back door, ben the gairden, nae wintin Wattie McKay tae ken I wis peeheein wi the Divil's disciples, but I mindit' fit ma mither telt me, that they widna hairm a flee, an' I wis cannie nae tae stan' on the cracks atween the steens, as yon wad hae damned me fur sure. I crossed ma fingers, an' chappit on the door, an' wyted. A lang, lang, time gaed by. I cud hear Nan Buchan's bauchles scooshlin ben the lobby, syne dauchle, as she drew the snib wi' her fooshionless, numb, fingers.

Corpse-cauld her hands war, nae warmth in them, clammy as puddocks. She mirkit up, at sicht o' the bannocks.

"Hame-baikit bannocks fur auld Nan! Me, me, dearie, yer mither's gey guid-hearted."

She tuik me ben the hoose, an gart me sit doon on a horse-hair steel wi' walnut legs, carved bonnie, like a quine's pleats, afore a black muckle range that fulled ae waa, a teenie-weenie fire hoastin rikk up the lum, an' pots an' pans, an' a black kettle set aside it. Wattie McKay maun hae bin richt eneuch, they war bogles fur sure. Ahin me, stude a granfaither clock that gaed 'tickety tickety' like a faerie shoemaker, an 'ching-ching' fin it struck the half oor. The clock micht 'ching' its hardest...time hidna meeved in yon room fur half a century, or mebbe langer.

I thocht on Maister Dicken's story, aboot Pip in the ghaistly brideroom ...bit there war nae moosewabs, an Mrs Forbes's hame wisna richt fantoosh. Forebye she'd aince bin merriet, wi faimly, or yon photygraph wis leein. It wis queer tae luik on yon half-blin, deef wummin, fa's braith cam loud, like win wheezin ben a dried husk, an' tae ken she'd aince bin sonsie an' lauchin, an' loued, wi' a man at her airm, an a bairn in her bosie.

Nan Buchan hid forgotten I wis there. Then, she mindit, an' it seemed tae please her. She hirplit ower tae the sideboord, tuik a wee key frae her peenie, an lowsed the snib. She tuik oot a bottle wi' 'Madèria' written ower the front o't, poored a jeelip intil a beer glaiss, an tapped it up wi' fizzy ale. Syne she dichtit her mou wi' the neuk o' her peenie, an' laid the bottle by cannie. "Jist ye sup up Nan's wee drink, dearie. Dinna tell yer ma. An' ye can come ony time as lang's ye mind yer mainners."

Ower the dreich winter months, wi' naethin bit robins bobbin aboot fur a bit o' diversion, I gaed aften doon tae Sweet Brier. It was fremmit, an' itherwardly. I think maistly the photygraph drew me...that, an' auld Nan's stories. She wis niver idle, wis ay polishin braisse, or busy stitchin or darnin.

Her fingers cudna be at peace, nae fur an instant, I noticed yon. She needs ay tae be reddin things up. She'd fingers fur powkin secrets ooto crannies. I wis gled that I hid nae secrets.

Mrs Forbes sleepit maist o' the time like a crined Dresden dall, the skin on her chikks wis wafer-thin, glaiss clear, ilkie vein swam transparent blue fur aa tae see. Her face wis that still, it wis a daith-mask, o' nae meevement. Yet, it wis easy-kent she wis mistress i the hoose; hers war the hauns o' the genteel body, a body fa'd niver kent the wint o' a skiffie like Nan. Her hauns war as fite an' as sma's a Geisha's, the nails war half-meens o' pearl. Aside her, wis a photygraph o' her dother, Bell Forbes, a handsome quine wi' a bold luik, her thick derk hair, held up in pleats set like a braid croon on her broo, her lips half pairtit as if catched in a lauch. Nan rarely mentioned her, ither than tae say she'd deid langsyne; she niver spukk o' her, except wi' a queer kinda thraw till her mou.

There cam a swatch o' unseasonal weather, a simmer-warmth in the deid o' Yule; the drifts o' snaw in the auld wummin's gairdin crined doon till a bourich, like a sleepin swan, aneth the gean. Fin I opened the gairden gate, Nan wis seated abeen the auld kist. She wis rowed up in a shawl, wis wearin sturdy buits and worsit mochles, takkin the air. Sic a fine day it wis, I sat doon aside her, an' a robin bobbit ower the girse, that tame he cud near feed frae her haun. Nan felt in her pooch, an brocht oot an aipple, fur me tae eat, tuik up her wyvin, an clickit awa wi the needles. Fur a lang time, we nane o's spak. Mrs Forbes wis snorin soun, in the hoose.

"Are ye niver feart she micht gie ye yer jotters?" I speired at Nan. Willie Mackay's faither hid gotten his jotters a wikk back, yon's the wye I kent fit it meant. He'd nae insurance pitten by fur a rainy day, ma mither said, which wis fair disastrous. Nan's een sterted tae twinkle.

"She'll nae gie me ma jotters, na, faith ye. I've ma insurance pitten by, inside this verra kist." So yon wis the road it wis keepit lockit! I lost aa interest in the kist syne, if aa it held wis a puckle fooshty insurance papers. An' that micht hae bin an en tilt, if the robin's breist hidna mindit Nan, on Mrs Forbes' photygraph.

"Bell's favourite colour wis reid," she said. I cockit ma lugs. Nan wis gaun tae gie ma ain o' her stories. I hoped it wad be aboot braw dances, or lads.

"Set her green een aff tae perfection, yon crimson satin frock she whyles wore. Mark me weel lassie, it ay ends ill fin a quine's pride wins abeen her heid. She didna ken I wis watchin her...she wis cairryin a bairn, auld Nan kens aabody's secrets," she keckled, as if ower a joke. I didna think I wid like this story.

"She needit me in the hinner en, the prood bizzim, like her mither needs me noo. An' a fine ficher she held, wi her screichin an keenin till the geet wis born! A wee blackheidit thing it wis, bit full formed, an' sturdy, the last sicht I hid o't."

I grew fell fidgity sittin on the kist. This wisna a fine story. Nan cairriet on spikkin, as if till hersel.

"Fit wye she managed tae dee awa wi't I'll niver ken. Bit I ken fit I scrapit from the fire neist mornin, fin I teemed the aisse. Na, Bell's mither winna gie auld Nan her jotters. Insurance, lassie? Yer sittin on't! I've keepit the jaad's puir brat till this day!"

The aipple fell tae the grun. I boltit up the lane an' awa, as faist as the haimmers o' hell. A skirl followed me, lang an' thin in the frostit air. It wis anely auld Nan, cryin me back, bit fur aa that, it soundit unca like the screich o' a new-born bairn, wi the hauns that sud hae loued it, an' heedit it, an' tendit it, tichtenin aroon its throat.

I niver gaed back till the gairden. Nan an Mrs Forbes deid langsyne. Fur aa I ken, the kist, an Nan's insurance, are ay sittin there, aneth the gean...

"An' dinna cam back, till ye learn tae play the gemme!"

The wirds dirled ben Helen McPhee's lugs...lugs that sud hae bin reid wi affront, bit warna. A daft gemme, hockey. Gemmes war fur winnin, or fit wis the eese o' them?

Lachie Bruce hid flang the haimmer hyne by the merk o' Tod Anderson's at the real Games at Abyne. Fin it dirdid doon in the stoor he'd lat oot a roar like a muckle stag, fa's lockit antlers in a tuilzie wi a runt, an lat it ken fa's maister.

There wis nae pride in lossin...nae that the P.T. mistress wid ken that, her bein English. Scots wis an orra wird at Helen's schule. The baa hid skytit furrit...a clear crack at goal...Julia Smith's queets war in the road sae Helen hid cloored her shins on the sweenge roon wi the stick. The fat hillock sud hae bidden ooto the wye.

Helen tuik oot her playpiece; a daud o' loaf an seerip. Ootlinned. That verra forneen, the class hid bin gaen a lesson on diet, a claik o' the culinery fads o the crème de la crème. It wis seen kent that the McPhees war gey soor milk. It wad amaze ye, fit some bairns stappit their bellies wi. Speecimens hid bin taen in fur inspection. Muesli, noo, mindit Helen o' yakk's droppins. It appeared that Muesli wis hotchin wi guidness. Julia Smith ett kirnfus o't, sae fit wye wis she sic a clort, wi a plooky face, an her wame rummlin wi vitamins? "A balanced diet," the dominie caad it. Helen thocht it mair unbalanced nur balanced, tae be analysin ilkie crumb that passed yer mou.

Her mither's standby wis hotch-potch — a soss o veggies biled thegither wi a bane tae 'stick tae yer ribs.' Whyles, it stuck tae yer intimmers ana. Helen daurna turn up her snoot at table. 'Plenty wid be gled o' yer mither's hotch-potch' she'd be telt. 'Think o the warld's stervin.' The warld's stervin war welcome tae't, bit Helen daurna say so. She'd hae gotten a cloor on the lug.

"Grace be here, an grace be there, an grace be ower the table
Let ilkie ane tak up a speen, an sup as faist's they're able."

Yon wis granmither's wye o't. Ye nocht meat tae live, bit ye didna haud a plavver wi't.

On byordnar cauld days, the McPhee's brakfast wis parritch.

Julia Smith hid snichered ower yon.

"In England anely cuddies ett parritch."

"Ah weel," quo Helen, "parritch an ye wad agree rale weel."

In the English class, Helen stuck oot like a sair thoomb. Mid ben debates she wad lose the rag, an ettle tae wallop somebody...verbally of coorse. "Yon wis jist a hypothetical argument, Helen McPhee. Try tae cultivate a little sang-froid..."

It wis easy fur the English teacher tae hae sang-froid; naethin' nettled her. Ye canna insult a body fa his nae pride.

"Gin ye've nae pride, nae smeddum, lassie, ye'll niver win naewye," her faither telt her.

Syne, there wis the vexed business o' holidays. Maistly, the bairns at Helen's schule war the affshoots o' profeesional fowk, an gaed jauntin aff tae furreign pairts ilkie simmer, traipsin roon Pyramids, museums and sic-like rarities, braidenin their education. They carriet back souvenirs, like heid-hunters ...wee plastic Tower o' Pisas, key-ring Mona Lisas, or stickers o' Vesuvius. Gin ye speired aboot the natives o the furreign pairts, they cudna tell ye tho, fur they'd taen nae interest in them. They war 'quaint', or 'ethnic'. Jist like the McPhees.

The McPhees' holiday niver varied, they bedd ootby Glen Muick, b'thirsels. "Gin ye bide in fowk's hip pooches," quo Mr McPhee, "Aa ye get is sma cheenge." Mr McPhee gaed fur lang walks on the hills his lane. Fin Helen wis sax he tuik her wi him.

It wis a sair trauchle, her legs keepin tee wi his lang anes. The heather wis scratty, the dwinin sun still hett eneuch tae tryst the midges frae the muir in a stingin boorich. A bawd loupit ooto the bracken, careerin ben the black burn. Her faither stoppit a whyle, tae news aboot the bawd, aboot foo it gaed gyte in Mairch, staunin up on its hunkers an boxin thin air, like a daftie, an foo it turned sna-fite in winter, tae bide ooto the tod's stamack. A taed creepit ooto the bog, hirplin alang the sheuch, an they stappit again, till Helen learned that the warts on its hide war pooshionus, bit if ye dinna heed it, it wadna heed ye, an that held guid fur fowk ana, fur its a gey queer warld if we aa likit the same fowk, an likely the ither taeds wid think it wis jist champion.

Half up the brae, he dauchlet again, this time tae pint oot the keepers' hooses, an let Helen ken fa the best piper wis, or the skeeliest fisher, an fa telt the best stories...aboot last year's storm, an aa the ghaists an bogles frae here tae Hecklebirnie, tho he niver lichtified Lochnagar. Fur aa its bonnieness, there wis somethin awesome aboot luikin intil the bare face o't, that gart ye drap yer een, kennin foo mony fowk hid faan frae its heichts. Syne there wis blaeberries tae pu, an the banes o a deid rabbit tae powk at, the ants heezin thick ower its fur. Helen gied a bit greet fur the rabbit, bit her faither said yon wis naitur's wye, naethin' wastit, that daith cams till's aa, an isna a thing tae be feart at nur thocht ower muckle o'.

Up an on they gaed, the quine sair-made tae keep tee, till they dauchled at the tap o' the brae, neist door till the lift, an doupit thirssels doon. Naethin steered. Nae wan cheep o' soun bladded the silence. Efter a whyle, the quate seepit intae ye, it seemed natural, an fine. Faither wis glowerin at somethin hyne awa, tint tae aathin.

The bairn grew fidgity. He tuik nae tent. He raxxed oot his airm, swypin' the reenge o the glen.

"Look at yon," he said, as if till hissel.

An Heilin luikit, an luikit again, thinkin tae see a deer, mebbe, or mebbe an eagle. Bit there wis naethin, forbye's the blae powe o' Lochnagar, its showders squarin up tae the gloamin, an aneth yon Loch Muick, gowd an' beaten steel in the deein sun, like a targ. Her faither didna meeve, seemed tae be reeted tae the place.

"Gin ye live te be an auld, auld wummin, bairn, ye'll niver see that marra o' yon."

It wis years afore Helen kent fit he'd meant. Aside the muckle girth o' the hills, they'd bin the smaaest ferlies there. Glen Muick wis aybydan, a place fur them that socht it, tae measure thirsels by, an ken far they richtly stude in the braid scheme o' aathin, sma-laistin's a bawd or a lily.

It wisna a souvinir ye cud rowe up, a time like yon. Ye carriet it inby, a thing ye cudna share like trashy trock, fur onybody tae haunle, a thing that passed frae faither till bairn, nae screived on paper.

The seerip piece wis near etten. The ither quines war scalin aff the hockey pitch, pechin wi swat. Mistress Bain cam ower tae colleck them. She wis a hudderie-heidit worrit o a wummin, wi twa toories, doublin as History, an Scriptur' teacher, tho fit did the likes o' her ken aboot History, thocht Helen, fa ay belittlet her ain kintra, an thocht sae ill o' its fowk? Mistress Bain wis weirin her haly toorie thon day. Scriptur' wis neist on the list.

She yarked the line o snicherin lassies intae trim, giein Helen a blaik luik as the P.T. wife clyped aboot the stooshie on the hockey pitch. Helen micht hae bin ill-trickit, bit she wisna deef. She heard them sizin her up, fine.

"A clever quine...peety she's nae frae an academic faimily. Cudna learn onything at hame. Likely, they niver open a buik."

The line treetled intae the schule, an ilkie bairn sattled tae its wark, takkin oot the Guid Buik fur the obleegatory half-oor's owergaun. The passage yon day began, "Conseeder the lilies o the field"...Nae that Mistress Bain conseedered the lilies ava.

Fur, as aabody kens, a lily his nae lear wirth spikkin o'.

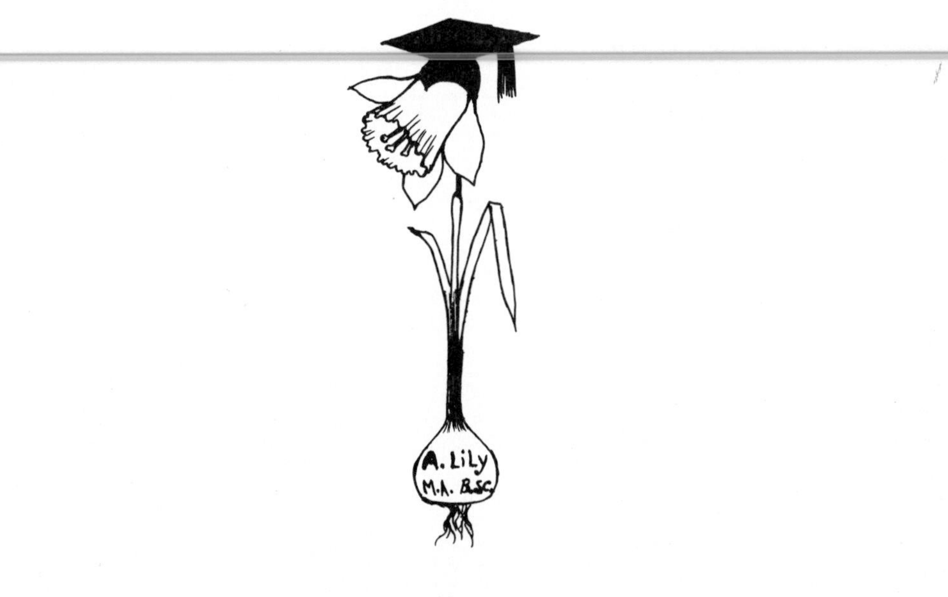

There wis anely a pucklie names screived on the 'failed' pairt of the boord. Nae muckle ava. Janet Tawse stude dumfoonert; it wis a sair begeck that her name wis amang them. Ithers jostlit furrit, lauchin an newsin, fur a teet at the names, rale relieved tae ken that they'd cam up tae the merk. There wis a meenit's grace tae buy paper an a stumpie, afore the neist drawin lesson sterted. Dillon John didna like tae be keepit wytin. He ran his life b' the wag at the wa.

He wis a lang teem cheil wi a nippy tongue, that years o' the dominie darg hid soored, his harns war razor-sherp.

"Fan ye've preened the letters D.A. efter yer name Janet Tawse," he wad say, "syne, ye can claik aboot Art".

He togged himsel oot in derk moleskins, wi a skyrie wee nippick o' a carnation in his briest pooch, the ae bricht spot in his natur, fur itherwyes, he wis grippit-in, and dour. Janet cudna mak heid-nur-tail o' the craitur, nur his picturs, which war a kirn o' stringles an treelips o' peint flang ben a broon canvas.

Wallopin sandals an licht-weicht khaki buits war breengin up abeen tae the easels in Dillon John's class, kennin he cudna thole a latchy fit. He wid heist his wee carnation an beery his neb in't, tho the guff o' the flooer didna sweeten his mou; he wis that sherp it wis a winner he didna cut hissel.

The lobby wis teem, syne, the tither student bodies aa sattled till their day's darg.

Janet wis left her lane, staunin fite-faced as the marble heid o' a lang-deid academician, that sat, happit in moose-wabs abeen the door. Cannie, like a bairn stertin tae read, she raxxed oot her fingers, finnin the letters o' her name, as if sikken tae blot them oot. The preint never shiftit. Syne her fingers knottit intil neives creepin up tae strap thirsels intil her een, sounless as twa birdies. Mebbe, gin she luikit again, her name widna be there. Bit it was.

Frae the foun o' the sculptur' room, cam the mirkie clink an chap o' chisel on san'stane, the skelp an splyter a weet clay manhaulit ower the lang brods, skirpit wi plaister, an the roch hairty lauch o' Liam Begg the maister sculptor, a brosie chiel wi a guid wird fur aabody. Stinch an straicht as his ain haimmer wis Liam, meevin amang his students, drappin wee wirdies o praise that trystit oot the best wirk frae them.

Frae the tap fleer abeen the lobby, she cud hear the still-life ferlies bein rugged frae their neuks, the rickle o' easels bein biggit roon, the reeshle o' paper clippit ontil hardboord, the blatter o' ile brushes dirdit doon on the steels, and the tang o' linseed ile, mellin wi the yoam o' peint, clartit roon the palettes like a bricht watergaw. Weel-kent, weel-loued sichts an souns, that aye kinnelt a lowe o' gledness in her.

She maun teem her locker...cudna bide. Cudna squar up tae Dillon John, his cauld indifference. Didna belang, nae ony mair, nae iver again. She lowsed the snib o' the locker door, raxxin ben fur the canvas pyock, makkin a yoke at reddin up. Brukken pastels, wee stumpies, bitticks o chercoal, steerin a kirn o' thochts.

She mindit the first time she'd grippit a pencil, a present frae her faither, ane o' a hale boxie o bricht colours. The oors delicht they'd gaen her...friens that niver failed, friens she cud maister. Afore she cud spik or stravaig, her hairt set on Art.

"An fit'll ye be fin ye grow up, ma bonnie quine?" speired an auntie.

As if there wis ony doot!

"An artist," quo Janet, as gin it wis the maist natural thing i the warld. Tae Janet, Art wis a merriage o' sicht and dream, her ain wee circle o' life.

The locker wis a soss. Brushes lay in a snorrel...aince haunilt, the joy o' wirkin wi them breenged up, strangger nur-iver. Bonnie, nut-broon stems, tippet wi hair as saft's a tod's breem, jist biggit fur pictur-makkin...ye cud sweel the colours roon wi them ike win booin corn. Doon tae the boddom o' the pyock they gaed, wytin the rest o' the trock, a wheen tubes an tinnies o' peint wi' sic fremmit names...Cobalt blue, Burnt Sienna...Yalla ochre...

Yalla ochre. Yalla ochre wis a car-haik tae Braemar, hersel a dozie bairn half-dwaumin on the back seat, winter birrin by, the cauld bane-rib lan'scape o' the Nor'East; the sherp texture o' larick, the pen-an-ink blaik o deid beech trees, an atween an aroon an ower aa, a yalla ochre lift. Pouerfu bonnieness, an her wintin tae ain it, as if ye cud ain the win!

An yon wis fit nettled her; she cud niver catch yon bonnieness, her picturs war that peely-wally. There wis nae catchin the Renoir saftness o' birk, or the Van Gogh profundity o' Norlan nichts. There wis nae catchin Simmer, wi its Brueghel hairsts, its Constable wids o' shiftin shadda. It wis Janet that wis catched, catched bi her ain picturs, fur they socht aa her virr, an smeddum ay, an her hairst's-ease ana, an still they warna richt.

"Gie yer wirk mair realism, mair character, Mistress Tawse," Dillon John wid girn.

Wirds war sae fushionless, sae eeseless. Nae gumption in wirds. They war cauld, teem things, things that lay like a wecht atween her an the maister dominie, his ain wirds ran like a burn in spate, nae brig, nae brig, wun ower tae Janet's heid.

The pyock wis near full, forbyes the palette knife an the orra cloot fur scoorin the brushes, clartit wi vermilion reid. Vermilion reid.

"Faith, ye've nae colour-sense ava," the maister hid tellt her, as she strove tae keep the colour risin in her chikks fin his tongue wis on her.

The cloot wis aye weet. Grippit in her neive, the reid sypit ben her haun. Aside it, wis the knife. Dillon John's wirds stabbit in an oot o her thochts like dirks...

colour...realism...the wint o't...the catchin o't.

She wyed the knife in her haun, finnin the blade. It wis keen eneuch. It cud be that faist, that siccar. Bit she'd tint the gumption; like a pleuman, kickit squar i the stammack bi a coorse shelt, she wis windit, clean connached. Aathin wis pit-mirk. The wee caunle she'd lichtit inside her, makkin an idol ooto her darg, wis snuffed oot, that ae spirk o vitality tint foray.

The hauns o' the lobby clock stude at ten, as the lassie waulked ooto the Art Schule door fur the hinmaist time. The sun glimmered ower the toun like a celeestial loch. Even the wee grey cooshie doos flichterin abeen the stane powe o a' ceevic statue, war tipped wi gowd. The blae, quate fowk, traivellin ben the cassies, unfurled like snawdrops, nodded, an spak till ane anither, thawed ooto their reticence bi the whylie's warmth.

A scaffie, shovin a purple corporation cairt alang the sheuch, luiket up, an smiled at the passin quine.

"Gran day, tho," quo he. "Bonnie as a Pictur."

Copy of a detail from of 'The Garden of Earthly Delights,' by Hieronymus Bosch.

"Hiv ye clappit een on the new fowk?" Kirsty Todd spiered o' her neebour, Jessie. The wee wifie shook her heid, cockin her lugs for the fu lick o' the ladle. There wisna a sniff o sklaik for miles, bit Kirsty wad ken't...an auld-farrant bizzem, bit guid-hearted.

It wis a dreich day fur a flittin, bit jist winnerful fur the gairdens. Ilkie wumman i the street wis doun on her hunkers, ruggin oot weeds something deevlish, an aye castin the antrin keek at the on-gauns up the road. Jessie, wha hadna as muckle as dichted her snoot, makkin on she wis polishin her braisses, an Kirsty wis scutterin aboot wi a breem, swypin the pathie. Naethin like a flittin fur trystin oot the fowk, like a heeze o' midgies birren owre a midden.

Myn, Jess hid a by-ordnar excuse fur ill-fashence, seein's the incomers wad be bidin neist door. They cud dae waur than be like Kirsty Todd, she thocht: nae pit on wi her — a kirk billie, an affa religoos, some like Jessie hersel. The Guild war sikkin a new president, an Jess wis as guid as named fur the job. Of coorse, it wad mean winnin ower the manse door, hob-nobbin wi the meenister. But fur a genteel body like Jessie, that wid be nae haud-up. Her teeth wattered at the verra thocht. Ilkie Sabbeth, she sat, snod as a clockin hen, wi yon meensiter craiter breathin the Fires o' Hell an Damnation fae the poupit. He hid a pooerfu wye wi wirds, the Reverend Iain McDowd, an muckle black glowerin een that lookit richt throu ye. Nae chucken, he wis weel-preserved fur his age.

Whiles, half throu the psalms, or humfy-backit i prayer, she'd steek her een, an try tae pictur fit lay ahin the dog's collar, or aneth the Harris Tweed breeks, her intimmers in a lowe o' sinfu slaverin. Syne, she'd tak fricht, for fear an avengin angel wid strik her doon for her carnal thochts.

Kirsty, the while, wis atween roses an roosers, takkin tent o' the new fowk's gear.

"Fower rings on her stovie — maun be a big family, or else they dae an affa lot o' entertainin," she jeloused. Ye'd tae rise gey early in the mornin, tae pit onything ower on Kirsty. "Ten steels, twa tables, saxteen boxies, a mixter-maxter o' ornaments, an a puckle plates — shugglin by the pailin afore I'd time tae draw braith. They arena short o' a bawbee — weel-daein bodies, ye can see that... There's even a pianie, an an aspidistra in a pot..."

Takkin up the tail wis John Soutar, the maister o' the hoose, a baldie-heidit cheil, pechin aneth the mattrass like a snail humfin its hoosie. Gey trauchlit an ferfochen, he lookit, wi fite fuskers, an a reid neb. Jessie hoped he didna drink like the mannie ben the road — he wis aye a fu's a puggie.

Trailin ahin, wis a ticht moued deem, snappin, ill natured at his doup, like a worrit o' a dug. It wis easy kent fa wore the breeks in their hoose.

"The fishie kens them," whispered Kirsty. "They're local fowk. The cheil's a foreman, an' a coonty cooncillor — nae sma ding. Bit his faither wis orraman at Peeries, an his mither wis a slorach — scrubbit oot fleers at the killin hoose. So he needna gie himsel airs. I'll sune sattle his hash."

Syne, fae the foons o' the removal van, cairtin up the hinmaist o' the trock, cam a birn o' bairns, breengin ben the pathie like a bourich o' banshees, loupin an careerin like puddocks — nae a clean face atween them, hair as tousie's a heather besom.

"Michty, fit skwatter," wheezed Kirsty, her een grown roon as twa ashets, dumfoonert, for aince. "Bit they maun be gey swankie tae ain a pianie, an' an aspidistra," said Jessie.

As sune's the incomers sattled in, the gairdens got the go-by, an aabody snibbit their doors, there being naethin left tae glower at. Syne fur a puckle days there wis a chappin o' nails, an a scourin o' fleers, a fleerichin o' disters, a ficherin wi picturs, an a walloping o' peint brushes, as the new fowk set aa tae richts. Jessie thocht it bit neebourly tae sik them in for a fly cup, but got short-shrift — they waurna nane sociable, the breets.

Mrs Soutar barged in afore her at the Co-opy van, an bocht the last o' the baps aneth her snoot. At nicht, the mannie timmered the pianie till Jess's lugs fair dirled wi the soun. The bairns haived sweetie papers owre her fooshias, an stotted their fitbaas teetle her windaws. Vratches, the hale jig bang o' them — din-raisin trash, she thocht.

On the Sabbeth, mim-moued, wi her fox fur rikkin o' moth baas, wippit roon her chin, its feet jigglen doon her back like twa fwechtin mowdies, she set aff fur the Kirk. The naisty nickums cried efter her — there wis nae shame in them —"Fur coat an nae knickers! Fur coat an nae knickers..." bit she didna dauchle, jist tholed it aa like a true servant o the Lord.

She tholed it aa till wash day won roon. Jessie aye hid the brawest drawers on the line — like angel-fite balloons, they skelpit i the breeze. Her sheets wis a by-ward — naebody cud haud a caunle tae them. Fin the hinmaist o the snawy mervels wis raised alaft, wallopin i the win, she made tae gang inside, bit got a gey stammygaster at the sicht o' the sweepie's van ootbye.

Fingin up frae the Soutar's lum, cam a lang-poled breem, furlin roon like a totem, caain stew an stour oot like black rain, scalin sottar till the fower airts, till her gushets wis bladded, an her sheets wis yirdit-sypin bree like traicle. Mrs Soutar wis snicherin throu her windae, like the aiblich she wis.

Jessie set doon her genteelity, her birse up, her een bleezin. "I dinna care if yer man IS a county cooncillor. I dinna care if ye DIV ain a pianie an' an aspidistra. Ye can ging tae the black side o' buggery fur me. Ye're naethin bit tinks, the lot o' yese."

As is aften the wye, her triumph wis short-lived. Staunin ahin the yett, wi his jaw gapin wide eneuch tae swallae a corporashun bussie, wis the verra Reverend Iain McDowd. An bi the luik on the craitur's face, Jessie kent, that faiver won owre the manse door — it widna be her!

The schuleroom wis as ship-shape's a boatie, nae ae barnacle o' argy-bargy marred the trigness o't. The fisher bairns sat snod aside their fairmin kin, 40 fern-tickelt faces, 40 sturdy geets, wippet up in hame-wyved worsit gaanzies an hame-wyved worsit socks, 40 scholars as peacefu an quate's a dominie's Utopia. Jess Saunders, their new teacher, wis like ain o' the fremmit cobles that float in on the sea bree. Like driftwid, incomers seldom bedd lang at Scurrievrochen. The first heich tide ay carriet them awa. Jess Saunders michtna ken it yet, bit yon 40 bairns war bit 40 tails o' the same fish—tit ane, an they aa lowpit. She'd taen the job fur a wee brak frae the stushie o toun schules; fine tae hear the Doric spukken; fine fur the antrin picnic, richt bracin', the sea air, anna.

The fisher-clachan wis biggit on a brae. Ilkie bywye led doon till the herbour an the ae wird that raisse up like Moby Dick tae describe the place, wis STINCH. It wis stainless, sinless, clean's a skate pyked bare bi gulls. Ilkie hame, ilkie winnock, wis elbuck-greased tae shine like sharn, o' the spotless variety, of coorse.

It gaed the hooses an ither-wardly luik, like pizie-sized kirks, that anely cam tae life on the Sabbath. Nur did the herbour differ frae the lave...the sea micht blaw, an bluffert like a drucken tar, naethin kerfuffled the snodness, the verra perfection o' the wee fisher boats, as if onythin as scunnerin as a deid haddie niver crossed their decks, as if the sliddery cargo o' guttit stinkin herrin, didna exist. The roosty trawlers in Aiberdeen war serviceable, bit lackin in groomin. The fisher fowk o' Scurrievrochen tuik pride in the wye their boaties luikit, the boaties war the brichtest spot in the hale, grey, place. The sea itsel, eidently scoored the beach like an auld washerwife, a heeze o' suds an faem. The tide rinsed an soakit the san, an the sun gied it a guid bleach, till it wis paler nur pale. Far the cliffs raise up tae the lift, the sea turned near Biblical, its ootpoorins war Baptismal, a rite o' purification. Jess cudna shift the notion that Scurrievrochen wis ae lang Sabbath frae the cradle till the grave. The quate wis as calm as strokin a marble pièta, days war dolphin-smooth. The sea wis dressed in a fite peenie, booed ower the rocks, rubbin the driftwid an partens clean. She felt she micht drap anchor in this deeply releegious place, fur a whyle, onyroad.

The schulemistress hid taen twa rooms ower-luikin the sea; snod as a guillemot she wis. The rooms fittit the lanscape like the fuskers on a walrus. There wis a sink b' the winnock, a bar o' roch green soap in its neuk o' the kind that men's sarks war scoored wi, an a fearsome array o' cleansin agents stackit aneth't, in tins, pyocks, an packets. The sink gart aathin aroon seem peetifu sma, it dominatit the room. The stove wis teenie. The fire wis shargered. The green timmer table wi matchin green seats, seemed tae be fechtin wi the sideboard fur space. In the ben room, the bed wis a cork in a bung. Some micht hae felt cribbit in, like a labster in a pot. Bit nae Jess. She'd hae bin tint in a bigger apairtnent, bidin hersel.

Tae win intae her door, Jess hid tae climm an ootside stair, which tuik her by the mou o' her landlord's hoose. In ilkie neuk an crannie o' the steen steps san lay, creepin up frae the beach on the sly. Mebbe the sea didna like Scurrievrochen. Mebbe the sea wis the fisher fowk's landlord, the sea that wis ay sae clean.

The fisher weemin, them o' the close sects, war dour, an grippit in. They scorned tae peint their faces, their claes war lang, derk, an thick. It gart them luik like shags, fin they foregaitherd in bourichs at the deid-en o' lanes. Jess Saunder's landlord and his wife, belanged tae ane o' thon close sects...

They war a quate pair, the Wabsters, tho the wife hid the upper haun. Her hair wis sandy-fair, her een, the colour o' dried dulse, her mou, a short, hard, line. Ye kent she wisna young bi her skin; it wis runkled an creased like a turtle. She didna waste wirds...she didna waste naething. Waste wis a sin, efter aa. She wis ay ceevil in her dealins wi Jess, bit the quine sensed a hidden resentment, she cudna jist faddom. She speired, cannie, at schule, aboot the Wabsters; cannie, fur in yon close, in-bred airt, ane o' the staff wad likely be sib tae her landlord an his wife. A newsie denner leddie laid aff their history bare in twa braiths. The Websters anely loon, hid bin drooned at sea. The room Jess wis bidin in, wis his room. Sma winner Mrs Wabster didna like her!

The sklaik wisna dane. Efter their laddy's droonin, Mrs Wabster turned like a parten, richt intil her shell. Ay a stinch kirk body, she grew mair an mair haly. She bocht releegious records, maistly American, playin them ower an ower. Mr Wabster wisna musical. He tuik lang daunders ben the pier. Naebody spak o' Mr Wabster's loss, anely Mrs Wabster's loss, as if the faither wis o' nae accoont. He'd lost baith son an' wife, tae the sea, or as guid as, fur Mrs Wabster excludit him frae her regaird, an her bed. He bobbit up, perky's a buoy, a born survivor.

He wisna a mem'rable cheil, nae landmarks aboot HIS shoreline, he wis as fushionless as haar, a grey, wattery-eed peely-wally scrunt o' flotsam that somebody in time wad burn. The anely noticible thing aboot him, wis his black ileskin jaiket. He wore it like a secunt skin; it screiched fin he meeved. It gart him luik like a silkie, a slimey breet frae the deep. Whyles, fin he heard Jess's fit on the stair, he scooshled oot, like a hermit crab appearin frae aneth a rock, wi mail fur his quine-tenant. Syne he wid spier, makkin a joke o't, if she'd gotten a letter frae a lad. Bit it niver wis. There war times Jess likit tae be coortin, there war times she didna. The life o' a spinster schulemistress suited her at Scurrievrochen, tho Mr Wabster aften hintit, that at her age maist weemin war merriet wi a littlin.

Mrs Wabster wis weddit, bit nae coortin. She wis as dry's a teem buckie. Lossin her loon hid wrung her oot, like a cloot. Ye cud set the stars an navigate, bi Mrs Webster's habits. Ilkie Thursday efterneen, she gaed oot fur eerins, syne, she veesited a sister-in-law, syne she cam hame, an plunkit on a hymn on the record player.

Ae Thursday, the sea haar brocht rain wi't; Jess wis near drookit rinnin ben the cassies wi her pyock o' schule buiks. The bairns jotters warna ill tae merk. Their fowk made sure o' yon...nae a fyled nur bladdit page in the hale sett-oot. She wad sune correct them aa. Fin the rain cleared, it wad be a bonnie nicht tae stravaig alang the beach her lane.

The thocht pleased Jean as she cooked her evenin meal. The meal wisna wirth a plavver, nae fur ae body. She cracked an egg inower the pan, staunin weel back fur fear o' bein' spirkit wi fat. Wi nae warnin, the door opened, an a wiff o' sea air gart the tap pages o the schulebuiks flichter. Mr Webster hid cam intae the room. He'd niver dane sic a thing afore, nae fin Jess wis there, tho she kent that the Wabsters redd up fin she wis at wirk. Whyles, she fan' the steps scoored an bleached. Aince, the curtains hid been tirred, an aired. Jess tuik a bit lauch at yon. The Wabsters didna conseeder incomers tae be particular aboot hoosewifery...She kent it wis Mr Webster staunin ahin her, bi the screich o' his ileskins. Fin he didna spik, she turned roon, tae speir fit he wis wintin. He wis in a fine fizz aboot somethin', yon wis certain. Mebbe she'd forgotten tae swype the stairs aince ower aften...the rent wisna due...syne, fur nae reason, Jess mindit on the statue o' the Laocöon, yon peetifu priest o' Apollo, grippit bi the serpents o' the sea. Mr Wabster's wirds, fin they *war* spukken, seemed twistit like dulse in a stormy puil. She'd niver noticed his braith afore...it hid the guff o' fooshty slime aboot it.

"Mrs Wabster's shoppin' lassie. There's naebody here bit you an me."

He wis trimmlin like a leaf. He rammed his mou ontil hers, his lips twa weet wirms o' nausea. The shock jerkit fecht intil Jess. She pummelt an haimmered the ileskins back, as weel she much, fur the auld body in his lust wis as strang's a gale. Haly music floodit the room. Mrs Wabster wis hame early. Dear sweet Christ, thank God, thocht Jess, tho she niver derkened a kirk door.

His grip slackened. She slumped ower the sink, cowkin an cowkin wi relief, tho nae vomit cam. The landlord's een narraed, sleekit-like.

"Nae hairm dane, jist a wee fun lassie. Nae need tae tell Mrs Wabster." Squeaky clean, weet an derk's a silkie, the black ileskins sliddered roon the door, vanishin oot intil the rain. The fat spat an spat in the pan, the egg wis birssled. Jess didna heed it. Boo'd b' the sink, she scoored her mou, ower, an ower, an ower, again, wi the roch green bar o' soap, spittin oot the orra taste o' him, the orra memory. Frae doonstairs, Mrs Wabster's latest record wis singin loud an clear. "He will wash away our sin," it wis singin, till the clean, clean sea.

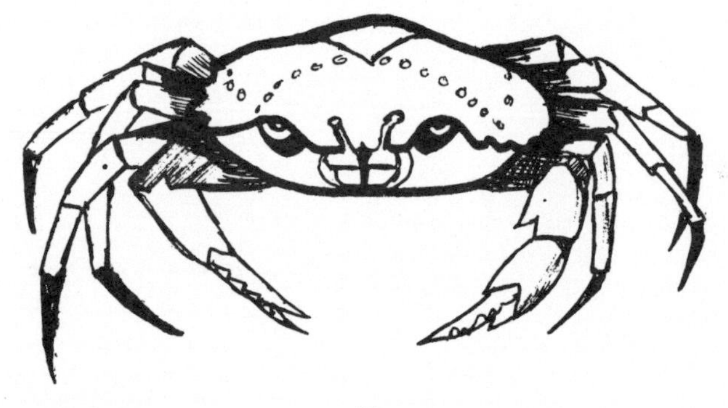

Ilka third mart day, Auntie Isie and Uncle John pyed us a veesit. John wis a quate craitur...he hated plaver, jist supped his tea ceevil-like, gled tae be ooto the steer an' stew o the toun streets. Syne, he wid raxx in his pooch fur his baccy, stap a fang o't intil his pipe, an kinnel her up wi a spunk. The yome o' the baccy rikk, curled like mist ben the parlour.

Whyles, the deid spunk fell till the fleer, missin the fire.

"John," Auntie Isie wid say, her een niver lichtin on him, her wirds steady, "Pick it up, there's a guid chiel, an nae leave sottars in fowk's hooses."

They niver argy-bargied, were as weel matched as ony twa shires, Isie sma-boukit an bonnie, an John big-baned an plain, they hid vrocht their fairm in New Deer sae lang atween the twa o' them, they thocht an moved as ain. It was ay a delicht tae see them...the biggest delicht fur me, as a bairn, bein the half-croon.

There wis naethin' stingy aboot Auntie Isie. She aye wore a fantoosh hat — a bobbydazzler o' a hat, a richt stammygaster o' a hat o' black velvet, smored in feathers, wi a lang siller preen ben the mids o't, like a cannibal weirs thro' his neb. It was ay a hat tae tak yer braith awa, tae mak yer taes curl, tae fleg ye ooto sax months growth, the verra brawness o't.

She wore lang fittit coats, o' derk, sturdy claith, an black, stoot sheen that niver hytered ower the cassies. Wee flibberty gibberts o' quines, hirplin ower the streets, in stilettos, wid be nae eese ava at New Deer, John said. An Isie leuch, an raxxed in her purse fur the half croon. It wis ay a half croon she gaed me...mair nur a wik's pocket money...big, roon, it lay in yer haun like a magic wand, waiting tae be turned intae sweeties.

Atween the braw hats, an the half croons, I fell tae thinkin that New Deer maun be nae sma ding...a richt bosker o' a place reemin' wi siller. Faither's fowk fairmed hill grun on Deeside, trachelt wi geets themsels, there wis niver even the snuff o' a half croon fin they cried inbye, tho fine fowk fur aa that, dinna get me wrang. Likely, I thocht, Uncle John maun be some kinda laird, tae afford sic spectacular hats fur Isie, nae forgettin the half croons. An tae bide in New Deer — nae Auld Deer, merk ye, bit New Deer, soundit rale posh. Da run doon a deer, aince on the Deeside road: it keepit us in meat fur a month, tho it wis byordnar sweir tae fit intil the car boot at the time...

I speired at Isie foo mony deer wid there be, an wid there be as mony as the Queen hid at Balmoral.

"Lordsakes, lassie," said Isie fair hobblin again wi kecklin. "It's jist a name. Gin yer a guid quine, ye can cam tae New Deer some Sunday, an see it fur yersel."

Naething wid pacify me, efter that, bit that Da wid motor oot tae John and Isie's, tho he didna care muckle fur veesitin'.

The first sicht o' Buchan wis somethin' o' a drap. Faither drave the coast road, huggin the bare neuk o' the Nor' East, flat's a bannock, aathin' grey an dour, an a weet mochy day jeelin ony guid humour left ower. Gin ye'd haen

Isie's hats war the ae bricht spot i' the hale sett-oot

skates, an the parks hid bin icy, ye'd hae skytit fair intil the North Sea nae bother, there wis naethin' tae haud ye.

"Far's the trees?" I speired feelin swickit o scenery — ye wis fair spyled fur scenery on Deeside.

"Hills an trees isna aathin'," said Da. "There's gran fermin grun in Buchan — nae forgettin the fishin..." he luikit sidwyes at mither fin he said it, kennin she'd a saftness fur her mither's fowk.

I kittled up, ootside the Broch, at the sicht o' a muckle fite horse, biggit on the hill.

"Fa pit yon horse there, Da?" I spiered, He didna answer, bit sterted tae hum Mormond Braes. He kent aa the catchy tunes, did Da, an keepit them tae use fin he didna wint tae answer questions.

Naebody kent wha biggit the horse. It bein' the maist excitin thing I'd seen aa the wye oot, I took it tae be, that it wis a magic horse, faan doon frae the clouds ae day like Pegasus, haein a bit sleep till itsel, till it wis in the humour tae shift. Ye'd tae wish a wish, fin ye saw a fite horse; I steekit ma een an wished fur half a croon.

Aathin' wis hunky-dory, till we stoppit at the Broch tae streetch wir legs, near dottled wi sittin, an ma mindit it wis Sunday, an the Broch shops wis shut. Isie and John hid nae phone, an here we wis, three extra mous tae feed aboot tae lan on them teem-haundit. I kent that widna be a problem, nae tae a body like Isie, wi her fantoosh hat...

There wis a lang road in aboot till the fairm. Fin aa wis said an dane, it wis jist like ony ither fairm toon, wi its steadins an biggins cockit up squar till the weather, an the sharn bree sypin frae its midden. Wi an inklin o' insicht, I kent then, that John wisna a laird ava, jist a hard wirkin fermer wha likit bairns, an' that Isie's hats wis the ae bricht spot in the hale sett oot. She wis feedin the chuckens, fin we drave up, bare heidit, nae a swell ava. It gangs withoot sayin I wis byordnar disappintit.

She made us affa welcome, fur aa that.

"Yon hurlin hisna agreed wi the bairn, she's luikin gey peely wally," she said. "Wid ye like tae rin doon the park, an meet yer Uncle John? It'll wirk up a fine appetite fur yer tea."

There wis a sma, weety, smirry rain, garrin me snocher. I'd on ma best sheen an plyterin ower a sharny park didna suit. Half wye doon the en'rigs I saw it.

It wis a muckle, enormous horse...nae pure fite, bit ye cudna hae aathin', nae a steen horse either, an John wis leadin't b' the halter. Mither's fowk hid bin dab hauns at horse breedin, far ben i' the horseman's wird. Granfaither catched his daith o' cauld, lying oot wi his meers at foalin time, the photies o' them still lay in a drawer in the toun, tricked oot in their show ribbons, their feet like ashets, their manes crimpit in ribbons, rosettes hingin thick roon their blinkers. An' mebbe some things are ill tae dee oot, even in a toun-bred bairn, a somethin' in the bluid, that niver smores. I kent then, that I wadna settle till I'd a hurl on it, the great, braid, back, heicher nur ma heid, the warm

beast smell o' it kent, bit nae kent. Uncle John reined him in, an luikit at me, couthie and guid-natured, as iver.
"An yer nae feart tae sic a hurl on him? A wee thing like ye? Ah weel, he's a quate breet, ye're safe eneuch. Bit jist as far's the gate mind, he's nae eesed wi bairns." John's haun wis fu o scrats, I mind that, corn cuts, an green, far he'd pu'd girse tae feed his horse. His muckle neives gaed roon ma waist, safe an cannie, heistin me up ontil the beast's back.

Man, fu wee the warld wis, fu fearsome the tamed strength o' the horse, an' ma legs grippin feart, intil its sides! Fin we moved aff, it was a feelin tint, bit nae tint, as if it wis the maist natural wye tae traivel there wis, a closeness that fleggit ye, bit that ye likit. Dubs skittered up at ilkie showd o' the hooves, whins gaed tapsalteerie, an the muckle tail whiskit midgies oot o' the road. Faith, if John wisna a laird, he maun be the neist thing tilt, tae be the maister o' a beast like yon. The parks an clouds mirled an jined thegither, an me near the heicht o' the clouds, or sae it seemed, cock o' the midden, the length o' the gate.

Teatime wis anither thing tae saver. Gin they hidna scenery, they didna sterve. Auntie Isie set doon an egg cup for's, wi' a green egg-nae a fite egg, bit a green egg, jist like a fairy micht ett, if fairies iver ett, laid b' a dyeuk that verra foreneen, jist fur me, she said. An nae Co-op loaf, either, clappit doon on yer plate, bit oat cakes hett aff the girdle.

Gaun hame, in the gloamin, doon the fairm road, ye didna fin the wint o' trees, fur the sky wis pure gowd, an there wis nae end tilt. It seemed tae streetch foriver, as far as the ee cud see, John's parks lying quate an broon aneth it.

The fite, steen horse wis back on the hill, as if it hid niver been awa. It wisna really Pegasus, I kent that. It belanged tae anither warld, bit a warld that's ayebydan, a warld o' lang, coorse parks an win, an the fowk that wirk the lan, their anely bit pride a fantoosh hat, an the pleisur in helpin ithers.

BONNIE'S NAE AATHING

Dick Rankine o' Stanebrae sud hae bin the merkiest fermer in the Howe. He wis a young chiel, maister o his ain place, wi a hard-wirkin pensioner (on half rates) in his bothy, an' an unemployed tradesman's faimily in his cottar hoose, wha war gled o a free reef ower their heids, an willin tae work on the sly tae keep it there...nae tarry fingered, neither. He'd aa his back teeth, did Rankine, an a puckle mair forby — nae tae mention his new bride, Millie Bruce o' Rashies. She wis a bonnie quine, Millie, bred tae fairm life, wha'd brocht a sup o siller wi her, as weel as her ain twa hauns. His grun wisna the best, bit he made the best o't, if a thochtie roch n' tummle in the pleuin...he'd a guid heid on his showders an seldom nocht the services o the smiddy.

Wi auld Isie Rankine still livin, though, he didna get things aa his ain road. His mither hid bin widowed young, bit wis made o' stinch stuff — ye didna catch her aff her stott wi ae knell. She'd sent the hoose servant packin, an buckled tee hersel, wi a grieve tae haunle the ootside wirk, bringin up her bairns tae ken the richt side o' a bawbee. The greive hid ettled tae get his beets aneth the table, bit the table wis Isie's she sune let him ken, he wis a feed man, an naething mair, an easy keepit inower his neuk. Bit she'd a saft spot fur Dick, her anely loon, him bein a peely-wally littlin; he wis fussed an coddlit, ay gettin the first lick o the ladle, an the deintiest bitties o beef. Wi aathing dependin on him, she cudna afford tae let him sharger. The quines wid grow up and get merriet, syne shak the stew o' Stanbrae aff fur guid...it wis up tae the loon tae keep things gaun, as his faither wid hae winted.

Millie Bruce's arrival fair upset the aipplecairt. "Bonnie's nae aathing," Isie said, fur of coorse her loon cud hae haen the pick o quines...tho it wis anely hersel that thocht it. He wis stracht in the shanks, wi the strang fite teeth o a meer, an that sherp it wis a winner he nivver cut hissel. He cud tell the illest stories agin a body, that iver ye heard, that gart ye lauch, bit left a taste in yer mou jist the same, surmisin fit shpeil he'd tell agin yersel fin yer back wis turned. It wis a wit ye cudna warm till.

Millie, noo, wis a different kettle o' fish. She lauched easy, an vrocht hard, nae pit on wi her; Bruce o Rashies, her faither, hidna raised her tae be an ornament. She cud kepp a beast, or bigg stooks, haunle a hyow, an bake bannocks, feed a hale squatter o tattie pickers on neist tae naething, an them still think they'd dined royal. It wis the wye she haunlit fowk, like she cared aboot them, that they likit. She'd time fur aabody, whyle Dick wis face aa roon, like a toon clock. Twa weemin winna agree lang in ae kitchie, an Isie Rankine wisna the body tae haun ower the purse strings tae a young flee-up o a quine, na faith ye. Isie'd bidden in Stanebrae since her waddin, an fully intended tae be beeriet frae the place. Aa the gear wis hers, earned b the swyte o' her broo, savins here, savins there, an ye dinna haun thon ower, lichtly, even till yer ain loon's wife.

She wis steerin the dennertime broth, fur the bothy chiel, fin Dick cam inby roarin fur Millie.

"Div ye ken far she is, mither?" he spiered.

Auld Isie niver lifted him, jist cairriet on steerin the broth, takkin as muckle heed o Dick as if he'd bin a gollach crawlin ben the fleer.

"Ye hinna bin argyin', I hope?" He wis rale worriet. He wis byordnar saft on Millie, she wis the ae blin spot in his natur. His mither gaed the veggies a shuggly, roch, birl, forcey kin'.

"I'll nae be quantered in ma ain hoose. I telt her plain, an noo I'm tellin you. Gin she's nae pleased, she can leave the morn."

Weel, the cottars held some spik aboot fit happened neist... Dick Rankine cryin on his wife aa ower the fairm, kickin the hens ooto the road, an them screichin ower the midden, feathers awye, an him bannin aabody fa cam near him. They say he fand her roon the back o' the rucks, her face beeriet in her peenie, greetin sair. "I canna thole nae mair, Dick. Either yer mither gings, or I'll shift back hame tae Rashies. Things canna gae on this gait."

Efter a puckle mair sett-tees, it wis auld Isie that flitted, an yon caused some stooshie in the district, I tell ye. For a whyle, Millie Bruce wisna weel likit fur turnin the auld body oot...an that was aa the thanks puir Isie got, fur connachin yon spyled vratch o' a loon, fowk said. The auld wummin wis fairmed oot amang her dothers, an Dick Rankine wis cock o' his ain midden at last.

Bit ye cudna tak a pikk at Millie fur lang. Bein jist a young quine, she'd learn sense cam time, an mebbe it hidna bin easy fur her, wi Isie sae thrawn an quanter. An she hidna gotten sic a braw bargain in Dick, as wis thocht. Gey aften, he wis nae weel, an syne Millie rugged on her man's jaiket awa oot tae the cauld sittin up hale hichts calvin kye, fin ither fairmers' wives wis snod b' the fire, daundlin littlins on her knee.

Fin the bairns cam, fowk said, she'll hae an easier yoke...bairns are a gran help aboot the place, gin ye haunle them richt, an nae gie them thochts abeen their station. Bit year followed year, like the tyke's ae tail, an nae bairns arrived at Stanebrae, an that wis a sair hairt tae Millie, an her sae fond o' the craiturs.

Some of the weemin, wi coorse tongues, caad it a judgement on Dick, fur turnin awa his ain mither, bit fowk'll sae onything. Millie hid aa the bairn a body cud wint in her ain man — there wisna a bigger bairn than the maister o' Stanebrae himsel. He niver lifted a finger in the hoose, though he ay reesed oot hér braw bakin, an hoosewifery. Anither chiel micht hae noticed her hauns growin roch, wid hae seen she wis ower trauchelt tae ging gallavantin tae balls like ither wives. Bit nae Dick. Sae Millie humfed barras o' dung like a man body, an Dick hunkit roon the fire. Faith, he cudna help bein nae-weel, an Millie wis that willin tae wirk.

There wisna a calfie born, bit she'd it named, somethin real fancy an perjink, pittin aa her mitherin intil the brute beasts. Efter a calvin, she'd spik aboot the mither coo as if it hid bin a neebour, sayin fit a trauchle it hid haen. Dirt dane hersel, yet she'd cairry a pail o hett mash ower till the byre fur the puir breet tae sup, efter its tcyauve. She cudna rug the calf awa, nae richt aff, like maist fowk, bit wid ay let the mither hae a wee kinoodle an a bit o' a lick o' its bairn, an the calfie tae get a wee sook.

"Puir craiturs," Millie wid say, fin anither fairmin body bocht her calves, half-grown. "I hope they're gettin a guid hame."

The hens in the coort treetled at her tail like halflins, an ilkie vanman that dauchled at Stanebrae wis socht in fur a fly cup, an a fine piece. It wis wirth tholin Dick's tongue, an his back-speirin, jist tae taste Millie's bannocks... though of coorse, naebody mentioned auld Isie, that wid hae bin pittin soor plums in the dumplin. The Rankines wid roup ooto Stanebrae, cam time, fowk said, an syne Millie cud hae a lang weel-earned rest. An fit a comfort tae Dick, an him ay nae weel she'd be, syne, nae a kinder nurse supposin ye'd pyed fur ain.

It wis a byordnar coorse winter. The watter froze in the pipes, an the grun wis as hard's a boord, an the beasts coorin in the byre nocht meat rowed in steady. As micht be expeckit, Dick wis nae weel. Millie cairriet on as usual, hoastin hersel, bit niver girnin, though there wis a heich colour in her chikks ye didna like, an a shortness o' braith that the bothy lad worriet ower. The auld man didna like tae see his mistress like yon, an priggit wi her tae gang inside.

"Na na," said Millie, willin as iver, "Ye canna haunle aa the ootside wirk yersel, an the byre's nae fur Dick tae be daein, an him nae weel."

Ae mornin', though, the kye screiched in the byre, roarin tae be milked, an nae Millie there tae milk them. Insteid, it wis Dick himsel wha strode in...he cud wirk fine fin he likit. Neist, the doctor's car wis seen at the fairm hoose, an the wird wis oot, that Millie Rankin wadna be lang fur Stanebrae.

"She's clean daen, man" the doctor hid said. "There's nae fecht left in her. Ye widna think a chill cud tak sic a haud, in sic a short time, bit there ye are.
Ye've ma deepest sympathy. She'll be a sair miss."

It wis a gey size o' a funeral, I tell ye. There wisna a fairm toun that didna sen a wreath, an the shop wis selt ooto bereavement cards in ae foreneen. The kirk wis stappit till the gunnels, Dick shakkin hauns at the door, gey brukken doon. Aabody thocht he widna be lang ahin her. Aabody thocht wrang. It wid amaze ye fit a body can dae fa's fair forced.

Dick Rankine's fit wis heard in the byre again, his whussle herdin the nowt in frae the heich parks, that hidna bin heard in mony's a lang year. It cudna laist, of coorse. Dick didna tak kindly, at his age, tae lichtin fires, an trauchlin wi coal, tae makkin meat, an keepin hoose.

Sune efter, he merriet again. The secunt wife wisna sae bonnie as Millie, far frae it, bit as auld Isie hid said, "Bonnie's nae aathing," and the wummin wis willin tae wirk, ootside an in. The price o' hoosekeepers, it wisna a bad bargain, though it gaed ye a turn, I dinna mind sayin, tae see anither wife in Millie's sheen, an her nae lang kistit. He didna seem tae thrive wi his new leddie-love, for aa that, as the vanman noticed, as he cairriet in the eerins.

There wis Dick, back in his auld neuk, hunkit ower the fire, a fly cup at his elbow, the pictur o' misery. The vanman gied him a crack aboot the new wife

—he cudna resist it, an Dick sae hard on ither fowk. He wis gey taen aback, b' the answer.
"Fit ither cud a man dae?" speired the maister o' Stanebrae, "Fin he's ay nae weel?"

WATTIE COCHRANE'S COORTIN

Wattie Cochrane frae Whinrashen, wis a maister at scythin', skeely in the auld farrant fairmin wyes, that wis best suited tae hill-grun. He'd niver cleared the belt o' breech that brukk his parks intil sma acerage, as ithers micht hae dane, for he kent fu weel that the beech wis his anely defence agin the win, an a bield for the pheasants he shot fur a cheenge o' diet, fin the laird wis awa frae hame. He wastit naething, an wintit fur naething. The heather on the coorse braes o' his ootlyin parks wis harvestit b' his ain bees; their hinney sweetint his tea, and served tae hap his brakfist bried, frae it, he brewed the finest hinney ale, as his faither hid dane afore him, keepin him oot o' the pub, an keepin the siller in his pooch.

Time trailed its feet, at Whinrashen. Wattie wis the last in the Howe tae bigg rucks, a lost airt, gey bumshayvelt things they war, an a wee thochtie skweejee, bit they served his purpose. He'd nae silage — couldna abide the glaury, stinkin stuff, an his anely fertilizer wis cairtet an forkit himsel, straucht frae the byre...black divots o muck frae his ain reid dairy kye. He aye keepit a soo fur killin, as fat's a butter bap, an orra, gruntin, pechin soo, an fin she swalt, nice an plump, he kill't, an salted, an hung her, at the back o the byre, that wis as cauld as ony deep freeze.

His hens hid the run o' the wids, bit he kent they lay ahin the rucks an the vanman that cam aince wikkly till Whinrashen gaed him tobacca for their free-range eggs — a by-wird fur succulence. Faith, fowk focht ower the preevilidge o' buyin them. Bit naebody enthoosed ower his milk. Wattie wis nane ower particular in muckin his byre, his kye gey-aften knee-heich in their ain dung, an he thocht that hygiene wis overrated, spilin the natural flavour o' things. As for the nowt themsels, they were maistly reid Ayrshires, wild-luikin' wallagoos wi their horns niver cut ava. Fit for wad he burn oot their horns, he speired? He cudna thole unnecessary coorseness, an the beast wisna yet born, that wid turn on him. He'd naethin tae fear frae the nowt. The kye hid niver seen a milkin machine, forbyes Wattie himsel, his braid, roch, hackit hauns squeezin them dry till the hinmaist dribble, intil a tin pail. The Milk Marketin Boord held nae truck wi Wattie — they hidna cared fur the antrin stringle o' sharn amang the cream — nae that yon bothered Wattie. His mither hid held, that sharn wis the merk o' guid milk, fur they gang the-gither as butter wi the antrin hair. Sae he hid the last lauch on the Milk Marketing Boord — he made the best kebbucks o' cheese in the district an selt them at a handsome profit in the Howe shop, tae bits o' tounsfowk wha prized a kebbuck o' cheese like ony antique. Faith, he cud bare keep tee wi the demand.

A man that wirks frae morn till nicht, can rin a sma place like Whinrashen himsel, bit that man maun be in his prime, an Wattie kent that aathing his its season an that his wid sune be by. At 30 he wisna an ill luikin chiel, tho oot in aa weathers. He wis straucht-backit, an braid-showdered wi the lang soople strides o' the hill fairmer. His chikkbanes war heich, wi a crap o' derk hairs on them which gaed him the appearance o' an Asiatic Mongol, exceptin that sic craiturs as Asiatic Mongols niver won the length o' Whinrashen, an wad hae been gey sair made fur amusement, gin they hid.

His een were twa bitticks o' bog, broon, an deep set; they sookit ye in; Wattie Cochrane cud luik richt through abody, an oot tither side. His teeth war aye gritted agin the win, an sae wis his jaw. It wis a jaw ye cud brak stanes on, wi a jaw bane Goliath wad hae suited, naething saft aboot Wattie, an his thatch o' black hair merked him doon as a pure hillman, o' the auld stock.

There'd bin Cochranes at Whinrashen sin the first o' the beaker fowk creepit intil their clay pots, aye, an likely afore then.

He wis thirled tae Whinrashen, an she tae him, though lately she'd grown a ticht chyne. There wis niver eneuch daylicht for the wirk she nocht tae keep her trim, an at nicht the meen mockit him, an drave him inbye, cockin her yalla face ower his kail yaird, as if tae sae "Weel, Wattie Cochrane, I've the beatin o' ye yet."

There wis nae help fur't, he wid need tae tak a wife, an that wis a thocht fykie. Wattie hid aye bin backwird at camin forrit wi the lassies. He nivver felt roch, nor eesless in his ain parks, bit at hairst dances, an waddins hunkit up in his Sabbath suit, he wis a dyeuk ooto watter, an they kent it. Ither fairmin bodies hidna bin slow tae tak the rise o' Wattie, kennin his shyness wi weemin, fur fowk fyles tak pleisur in tormentin anither livin thing, fur nae gain.

Neil Rannoch frae Reidshanks, an a puckle ither ill-daein tykes, hid fulled Wattie fu ae nicht — gran sport that hid been, seein their neebour teeterlogic, him that hardly set fit ower a pub or a kirk door...bit wha still made siller haun ower fist, mair nor ony o' them, withoot a combine or tractor tae help him. Neil Rannoch offered tae rin Wattie hame in his car tae Whinrashen, (it bein an oot o the wye place,) as Wattie used shank's meer — he'd nae time fur cars, fin his ain twa feet cud cairry him.

Aince hickled in ower the back seat Wattie streekit oot like a lamb, sleepin the sleep o' the deid-fu...An Rannoch slippit Jake Marnoch's glekit sister a bottle o' John Begg whisky tae keep him company aa nicht, fur divilment. Jake Marnoch's sister hid niver heard o' the 10 commandments — abody kent that — bit feart she micht weary, an spyle their sport, Neil Rannoch lockit her and Wattie in ower the car, an didna lat them oot till mornin. The bottle o' John Begg wis tint b' then — for the quine wis a drooth, as weel as a jaad — an sae wis the lassie's temper. Said she'd haen better coortin in a kirkyaird, an swore that Wattie niver laid a finger on her. He'd girned the hale nicht aboot fa wid bedd doon his beasts, an' pyed her as little heed as ye'd dae till a flea on a midden.

Efter yon mishanter nae quine wintit tae be seen wi Wattie Cochrane. Weemin fowk like a man tae hae SOME gumption aboot him an it wis plain that Wattie hid nane.

Ane efter tither, his neebours settled doon — even Neil Rannoch, tho he took langer aboot it. Neil said that ye dinna ken the hale book b' readin the first page. He'd pit a quine in the faimily wye, a deem frae an ootlyin fairm, an black shame on him, he didna redd things up, b'kirkin her.

Weel, the minister rantit an raged, hid the lassie in tears fur negleckin her Christian vows, an settin her feet on the sliddery slopes o' sin, an he wisna weel likit fur't. Puckles o' fowk in the Howe gaed sheetin afore the twelfth' — tho they keepit it quate — an a lassie wha wis cauld in coortin micht be caulder still, in merriege. Ye widna buy a pig in a pyock, wid ye? A wife that cud bring ye bairns, wis a double blessin', wi the price o' fairm servants nooadays. Ye niver needit a fairm servant, wi yer ain bairns tae wirk fur ye. Fairm servants were aa oot amangst it nooadays; they'd doon tools fir the least snyter, ye'd tae prig wi them tae lift a finger and wan wrang wird and doon the road they gaed. Even their bairns wis smitted b' the same disease —widna lift a tattie without cheepin up aboot conditions, an wages, wee Karl Marxes, eneuch tae scunner onybody. Sae a faimily o' yer ain wis an undeniable advantage, wirth mair nur a combine onyday. It wis unnerstaunable, takkin athing in, that the fowk o' the Howe took a pick at the meenister, the damned wee upstart that he wis, fur fleggin the wits ooto a puir quine, as if she hidna eneuch sorras tae sik, wi bairn ana. He'd hae daen better tae stick tae kistins an christenins, and save his Hell-fire fur real sinners —murderers an the like, leavin decent fowk alane. Mine, Neil Rannoch hid his kail taen throw the rick ana, fur jiltin a lassie in her state, tho it aa cam richt i the wash.

She bore him a fine sturdy loon, that wid gledden ony man's ee, an Rannoch took a secunt notion tae her, an merriet her efter aa, sayin 'wan wrang wird frae the meenister, an he'd mak his face as black's his goun, man o' the claith or no': The waddin service passed aff weel, if a wee thing abrupt...

Bit aa this wis nae consolation tae Wattie Cochrane, for there wis nae quines roonbye o merriegible age left, anely widdas an cyards, gey lean pickins. Mrs Rafferty, the baker's widow likit a man aboot the place. She wis still child-bearin age, an she'd mithered a quine afore Rafferty deed, bit Davit, the laird's ghillie hid his beets aneth yon table — it was the best-kent secret in the Howe. Forbye , she keepit a braw hoose, an wis ower flighty tae pull her wecht at Whinrashen. "Weemin eesed wi feather beddin winna settle on a caff mattrass" his faither aye said.

He hid winnert, aince, if mebbe he wis missin somethin...he heard some o' the wealthiest fairmers didna spen aa their time at the mairt o' a Friday.

"Tak a turn roon the herbour, Wattie," Neil Rannoch advised him. "I'll sweir ye winna wait lang fur company."

An Neil hid bin richt. Wattie hidna likit the herbour, though. The watter wis glaury, like a tar barrel hid cowpit in o't-it stank o fish — it wisna halesome — a deid scunnerin yoam. The herbour-fowk wis glib tongued, wi a nasal drawl, an leuch at him, caain him "Country Geordie", and "Teuchter," kennin fine fit trystit him there. A tattiebogle, deaved wi craws, he roosed, an raised his neive tae ane. He cud hae felled him like a flea but fur fear o' the polis. "Can ye nae tak a wee fun?" spiered the chiel, jinkin ahin a fish box. "Maun be awkward min, haein heather growin ooto yer lugs." Wattie cursed, an' turned tae gang, fin a shilpit scrat o' a quine cam by, pintit an' orra spukken. He didna like yon wirds frae a lassie's mou, thou they fittit his ain. She linkit airms wi him, an set a price. He gaed wi her ower the cassies sliddery wi guttet fish, the skirls o' gulls brakkin aroon, kennin aa the time he cudna gang throw wi't, tho the bargain hid been struck easy.

She wisna a wummin ava, wi her wise, sherp een, an her hoors' spik comin ooto a bonnie bairn's moo, that wisna a day ower fifteen years auld. He thocht on foo mony hid linkit airms wi her afore him, the flotsam o' greasy fremmit skippers an tinks that the lassie hid traded her pride an her youth fur, an the perfume yoamin aff her wis pure rot an misery o the streets. He dauchled b'her door, an hung back switherin.

The quine wis a paper dall, tawdry eneuch till teir. He wintit tae gag at his ain weakness, cudna thole tae luik at her, let alane touch her.

"Suit yersel,"she shrugged "There's plenty mair'll hae me."

He pyed her a fiver fur wastin her time, thinkin it cheap tae be rid o' her, an niver gaed near the herbour again.

It widna hae been a sax month efter, that his cousin Kath cam veesitin. In the ordinary wye, Wattie wis perverse wi fowk — bit Kath wisna fowk, she wis bluid, an bluid's thicker nor perversity. There waurna sae mony Cochranes left, o the auld stock, that they cud afford tae fa oot.

He'd bin hairstin' late, the last fairmer in the Howe tae bring in his crap, a bad year, wi puir drying weather. This year hid bin damnable coorse. Nae let up ava, dreich, weety rain, wi just twa three snatches o warmth, as if the sun hid forsaken Whinrashen, turned miser tae spite him.

Kath hid a lassie wi her...they workit thegither in some office in the toun. Wattie didna like incomers, he'd barely taen the lassie on, jist dichtit his mou wi the back o' his haun at Kath's introduction, wi a dry "Oh aye," as if tae sae "Fit is't tae me fa ye are?"

In the wastin sun o' late efterneen, the lassies unloadit the strae, Wattie straddlin the ruck, an biggin the boorichs steady-like, the swat sypin throw his sark. Fur a toun quine the lassie workit weel. Nane ower bonnie, a bitticky hefty, he surmised — bit a happen of beef stude weel at Whinrashen, ye nocht tae be sturdy tae thole the cauld, there. She workit sae weel, ye'd hae thocht she'd bin bred tilt. He'd naethin bocht in fur veesitors, wished he had redd up the hoose. Wattie wisna sure foo she'd tak till the tea that Kath set doon afore her. It wis fine haein his table set fur him, bit aathin wis hame-made, an plain. He needna hae worried on that score. She didna arguy wi her meat, she didna arguy wi him, she didna arguy ava. She thocht the bit pork cut straucht frae the hingin soo wis delicious, didna dauchle ower the fite hairs aye lingerin on the rim, like some mim-moued pernickety vratches wid hae dane. He rose tae gang ootby fur mair sticks fur the fire.

"Na, na," says the lassie, "Ye maun be weariet efter yer days wirk. I'll gaither sticks fur ye, Wattie."

An she lowpit up and oot as willin's ye like. His name soundit fine, somewye comin frae her mou. There wis nae artifice in her, ye cud see that.

He did a bit back-spierin o' Kath, takkin advantage o' the quine's absence.

"Ye'll be needin awa early," he began, leadin up tilt cannie, like a horseman brakkin a new shelt. "Yer frien'll likely hae a lad, wytin, at hame." Kath Cochrane smirkit. She kent Wattie as weel's she kent hersel. Yon wis the queer thing aboot sibness, like umpteen china moulds, there wisna muckle deviation in the cast.

"Nae lad ava, Wattie. Tho she did hae ain. I winna lee aboot it. He pit her in the faimily wye, syne rin aff wi some ither body. The doctor made aathing richt, though, ye canna expec a quine tae bring up a bairn hersel, in the toun, wi naebody o her ain tae help her. Nae nooadays."

"So there's nae bairn?" speired Wattie, cautious like.

"Nae bairn. It's left her peely wally, I can tell ye. This day's wirk at Whinrashen's brocht the colour intil her chikks again, for a whylie. Ye mauna think ill o her Wattie, it cud happen till onybody."

Wattie didna think ill o' her ava. A strang, wirkin lass, as plain's himsel, wid be jist the verra dab fur Whinrashen. The meenlicht blinkit ower the wid, a scythe cowped on her side. "If ye tak a turn inbye neist wik, Kath," said he, stappin his pipe wi tobacca, an giein the meen a triumphant luik, "ye micht bring yer frein, wi ye, an bide ower a day or twa. I'm thinkin the fresh air wid be maist benefeecial, till a body wi nae luck in coortin'!"

THE VISITOR

"Easy kittled,
Easy coorted,
Easy made a fuil o'."

The auld man in the village shop took a sly grope o' the assistant's boddom. Nae quite saxpence i the shillin, wis John Geddes — a daftie, sae permitted these wee liberties wi the ladies. A hairmless half-wit: bit nae sae daft as tae try his capers on wi Maidie Bain. Maidie, efter aa wis an incomer — an unkent body — a cuckoo i the nest. She hid refused, politely bit firmly aa offers tae jine the Rural...didna hob-nob wi the vanman, and greeted ane an aa, wi a terse "Guid mornin" cuttin aff aa attempts o' conversation like crined leaves afore a heavy frost. Nae even an invite tae the minister, for a fly cup an a sociable blether.

Faith, fowk couldna mak heid nor tail o' the craitur... comin, as she did, sae far ootbye the district, they hidna been able tae dig up wan divot o' dirt aboot her origins. An that suited Maidie Bain jist fine.

It wisna as though she'd a smarrach of geets tae tak up her time — though ane wis on the wye — ye didna need a degree in gynacoelogy tae ken *that.* John Geddes glowered at her, a fite-faced city quine, clutching her bag o' groceries tae her heavy belly, staundin apairt frae them aa. He opened his mou tae utter some coorse remark, bit thocht better o' it; bocht his twist o' tobaccy, an walked oot.

"D'ye niver weary in yon hoose, aa bi yersel?" the vanman hid asked.

"Nae me; I can aye fin something tae dae." Cool as ye like, as if the rest war dirt, that war aye scratching in ane anither's back middens.

If she showed nae interest in their comins an gauns, her man did. He wis the bold billie, Davie Bain — liked a guid dram, and the antrin crack wi the weemin-fowk — an nane the waur o' that. God kens whit possessed him tae wed a queer craitur like Maidie.

She trauchled ben the lang street, the unborn bairn heavy aneth her breist. Sae near her time, it wis foonerin — the inward flutterins o the bairn like watter rinnin ower shingle. Her legs stooned an' the retching sickness that hid plagued the early days hid gaen wye tae queasiness, an growin fear. Nae that she hid thocht ower muckle aboot the actual birth...Davie likit bairns. Ye wis supposed tae like bairns. It wad please him, pit her in his good graces for aince.

"Can niver take a sowel tae the hoose, bit ye spile it, wi yer sappy, girnin face, aye slinkin aff on some ploy o' yer ain, sizin folk up like ye wis gentry," he raged.

Tae tell the truth, she hid nae experience o' bairns... nane at aa. An anely dother, growin up in a hoosefull o' adults, she'd niver felt the need o' company, jist her buiks, an her ain dwaums.

She mindit ae Christmas — the risin steer o' waitin for presents...the postie's ring at the door. For her, a gran parcel. Teerin aff the wrappins, towe, tissue paper...syne, the cauld drap o' glowerin doon at a fremmit plastic face, wi black-bristle eyelashes.

Her mither's pleased remark...

"It's for ye Maidie, Baby Deirdre. A wee dolly." A hard, fooshionless plastic monster. Her mither scrauned her face for signs o' joy, nane war visible. The doll lay unwinted, a waxen image, wi naebody tae idolise it.

"There's nae pleasin ye, Maidie. Ye'r the queer fish. Aa lassies likes dollies."

Aa lassies exceptin Maidie. Grown aulder, she hid watched weemin coo an purr intae prams, kecklin an baby-spikkin ower some scrap o' weet hippens and it gart her squirm. Wi her ain though, it wad be different... some yin tae spik tae, share her thochts wi. And Davie wid be that pleased...

It wis a bonnie eneuch hoose...quate, an secluded, till Davie cam hame. Whyles, she wished he wad niver cam hame, an intruder brakkin intae her wee warld, sweepin in the glaur o' the parks ootbye, that clung tae his buits and claes. She hid sic dreams...sic plans...her stock o' buiks held muckle mair, nor the rain-lashed lan he throve in. The vanman's question cam back tae her...

"D'ye niver weary in yon hoose, aa bi yersel?" She lauched at the spik, takkin oot her shopping, thinkin nae mair on't.

Suddenly, a grippin pain raked her sides, takkin her braith awa. She grippit the table, knottin her neives ticht agin it. As if a dam hid brukken, bluid treetled damply doon her thigh — the first show, that weemin spak o'. There wis nae gaun back — she wis tint in a derk tunnel — like it or no, there wis only ae wye oot. Plenty o' time yet...wait till the pains wis regular, the midwife hid said. Mechanically, she packed her hospital bag, cannie an neat, reddin things up. Maidie hated a sottar — aathing cut an dried, that wis her wye.

She widna alert the neighbours. Nane o' their business... coorse, ill thochtit, ill-spoken brutes...rely on naebody bit hersel. Anither raxin cloor o' pain, brocht panic tae her lips. She bit it back. Weemin hae pains ilkie day...in Africa, they hae them staunin up in the parks, as easy as kyking. Our Faither, which art in Heaven, mak the pain stop.

She wis gled tae be able tae walk unaided tae the taxi — back straicht, nae nonsense, past the glowers o' the villagers.

"Davie Bain'll be the proud mannie noo..."

"If yon wife o' his is really in calf — I think its a case o' eatin new tatties masel. She's ower nice tae lie doon wi a man, yon ain."

It aa happened sae quick.

"Ony time noo, dear. Tak aathing aff...ye hae tae be prepared for Doctor." It was gey shamin, the entire stripping awa o' personal modesty, like some beast afore a vet, nyakkit fur aa tae see.

"Lie still dear. Ye maun be shaved ye ken...an' an enema. Canna hae ye messin up the bed." God no. Whit an affront *that* wad be.

The pains wis sair noo, rinnin thegither in ae lang stream o fear.

"Breathe hard. Dinna bear doon. Be a guid lass. Sune be ower. That's the wye."

She gulped doon anaesthetic hungrily, fechting agin the thing inside that wis tearin her apairt. Foo did they spik tae her, gin she wis a gype? A gowk incapable o' comprehension? At the heicht o' her agony, the anaesthetic wis hauled away.

"Must think o' baby, dear — ower muckle's bad for him."

Him-him-him — hoo in God's name could they ken whit it was? 'Him' hid the best o' it, bearin doon relentlessly inside her, hungry fur life.

She cud hear the nurses whisperin...

"Maks it waur for themsels, whan they cairry-on like this...upsets the ither patients...thinkin themsels special..."

Through the blur of bricht lights, she felt a wee prick, as o' a bee-sting, as the doctor pumped pethadine intae her vein.

"That's a good girl — just a wee cut with a scalpel — you won't feel a thing. Baby can't get out, dear, you're too narrow..."

Spikkin tae her, again, as if she wis John Geddes, a half-wit. Then, the voice changed, wis abrupt and officious...

"Forceps Sister — quickly!"

Maidie was three fowk noo...heavily druggit, a disembodied brain sweemin ower a tormented body, torn in twa by the pounding pounding pounding in the birth canal, like a visitor haimmerin on a door. A swoop o' pain, like a balloon streetchin ower solid merble, an' the bairn wis born.

A wee reid thing wis bein held heels-heich, skelped intae life, the cord dangling frae its navel like an orra towe.

"Clever girl. Good girl. All over now." Syne, a sudden switch tae adult spik, gin she'd newly cam o' age.

"You have a son, Mrs Bain. A fine healthy boy."

The visitor hid arrived then. She wisna sure foo they wad get on, glowerin doon, warily, at the squeezed, wizzent face, already nuzzlin hungrily at her breist. She hid expected tae feel instant sibness, a surge o' mitherhood. Insteid, it wis like seeing anither stranger, bewilderin; an entirely separate bein. Like it or no — here wis wan visitor, wha wis gaun tae bide...

Jist merriet, Janet McHardie wis bein led roon the guests like a prize heifer, bi her faither, Jeems Cochrane. The guests hid pyed guid siller for the presents — hidna mockit her — war entitled tae gie her the aince-ower. She wis wearin a wee fite hat, clapt abune her lugs like a booed ashet. She passed Kirsty's table wi nae devaul — a shargered scrat o' a bride: it nocht merriege an' bairns tae beef her oot a bittie.

"Fancy wearin a hat like yon!" observed a weel-wisher.

"Mebbe she's bauld," quo anither.

"Bauld or no, he'll nae be carin, the nicht," snichered a third.

Jeemes Cochrane plunkit himsel doon aside Kirsty, pechin like a scrapit soo. She cudna suffer him — he mind't her on a traction engine — the mair whisky ye poored doon him, the mair he loot aff steam, puffin oot twa chikk's as reid's a bubbly jock's gobblers. She hodged awa, as he socht her leg, wi his orra ham o' a haun. There wisna a decent bit aboot him; his spik wis as rank as dung, and the reek o' sharn clung till him despite some sma attention wi carbolic saip. She wis obleeged tae the chiel for the eese o his cottar hoose, bit cannie niver tae let him in ower the door. A widow-wummin couldna be ower carefu in a sma place, wi the likes o' Jeems Cochrane as a landlord.

"Dis it nae mak ye jealous, noo, thinkin foo Janet'll spend the nicht?" he speired.

She didna heed him or his orra spik, far mair taen up wi surveyin the guests. Waddins and funerals; human calendars. Fowk ye'd kent in Spring mid-ben a short simmer; flaxen barley weiren nearer the hairst. Ithers, wha'd been stracht's a blade whan ye wis a bairn, were stookit sheaves noo —the auld fowk, huddlit thegither, wytin o' the last shak o the win. It wisna mowse — it feared ye tae think on't.

There wis John Dow, careerin roon a jig as fu's a puggie, oxterin up a wee punk quine wi hair as spikey's a hedgehog, as skyrie's a rainbow. John, wha'd haen a thatch like Samsons, near as bald as a pickit hen...An Aik Coutts, smoorichan intil a dumplin o' a waitress half his age, his sporran heist till her apron — an her kecklin like a kittlin. Aik wis as braid i the belt noo, as he'd aince been thin as the links o' the crook.

There wis desperation in middle-aged shennanigans. Past their youth, bit sweir tae loot it gae, sweelin doon drams like wild wallagoos, cockin a snoot at auld age, kickin stew in its een. Auld age snichered at their antics — they widna swick him. They'd seen be aa his ain.

The young fowk wis mair genteel, for aa their unca rig-oots — forbye's a pair o' limmers kinoodlin in a neuk. It wid jist scunner ye, thon, thocht Kirsty. Did they nae ken whit wids wis for?

It wis queer tae sit in yon oot-o-the-wye dance ha, efter sae mony years. Stags heids, fair ferocious in antlers, studded the wa-heid, aneth the beams. A stoot placie , biggit tae laist. B'wye o' a cheenge, there wis a decapitatit moose, wi bools for een, nailed abeen the exit sign. She cudna mind on thon moose ava, in her coortin days.

Jeems Cochrane plunkit doon a dram afore her, his creashie haun aye sikken hers. She took nae tent, sittin dwaumin. It wis twintie year syne, on her faither's fairm ben the road. The loons war riggin for the ball. She could hear the bath tap rinnin, see her sisters blaiken the laddies dance sheen, the sna-fite sarks airin afore the fire, the filed dungarees and glaured tacket buits in a bourich b' the stick box. Doonstairs cam the loons — near filled the kitchie, their hairty lauch; shaved, douve, spruced up, tormentin the bik collie till she snapped, an' bein raged for their divilment b' the auld man.

The quines took langer tae rig — scutterin wi scent, ficherin wi peint, wi powther...waur nor fishin, catchin a lad. Gin the bait wis wrang they widna tak, and naething fleggit the craiturs quicker nor seemin ower keen. Ye'd tae gie them a slack line afore ye hooked them richt...

Duncan Le Brun hid been Kirsty's lad then. He wis tanned like a troot, a dark-haired loon, half Scots, half French-Canadian. His faither hid bin a wid-cutter, cam ower durin the war, and merriet on a local quine. Duncan himsel hid followed his faither intil the forestry wirk. He wis bonnie spoken, Scots wi a French lilt, bit by-ordnar jealous. Aince, he'd thrashed a loon fur jist smilin at Kirsty.

She cudna complain itherwyes. Some chiels lookit quate as lambs, danced as prim as lairds—bit ootside the hall, on the lang, derk, walk hame, they near rippit the breeks aff a body. It wis fecht an scrat wi aathin in ye, till ye clouted them back till their senses. Nae Duncan, tho'. He wrocht up quick, like the ithers, bit took 'Na' nicely. Said he'd ower muckle respeck fur his lassie tae treat her roch.

Noo, he wis spikkin o merriage. Kirsty'd bin dookin in shallow watter — he wis in ower deep for her. She wisna near ready for merriege, and nae wi Le Brun, onywye — his French bluid ran contrar tae that.

So she telt him straicht. She mindit on it fine...the band, tunin up — her lad there, meltin like sna at the sight o her. Like haudin a butterflee in yer haun, sic a fragile thing wis human happiness — sae easy bladdit, 'specially anithers. Kirsty couldna be glib, hidna the gift of the gab.

He cam up, smilin.

"We're feenished."

As if she'd skelpit his face, his colour gaed fite, syne reid. Tears wis weetin his chikks. Le Brun, that made on he wis aye sae gallus, greetin like a bairn fur aa tae see. Affrontin himsel — affrontin baith o' them. If iver she wis switherin, yon sattled it.

Ye wid hae thocht she'd hae mindit on the moose's heid, wi Duncan bein half-Canadian. Or did mooses cam frae America? She wisna sure.

Jeems Cochrane gaed her a dunt.

"Is yer drink nae guid, wummin? Ye hinna touched it..."

His dother Janet danced in aboot. The groom wis haudin her like a weet cloot, as if feart she'd leak ower his sheen. Kirsty couldna think fit Janet saw in the peely wally, though abody else thocht him a fine catch, a chemist an aa, frae Dunoon. Dunoon, for Christ's sake...wis the local loons nae guid eneuch for Cochrane's pernickity dother? Kirsty eed him, far ben in doot.

Nae that she couldna hae merriet a professional body — a man wi a clean sark for ilkie wik day, like he wis gentry — nae like a man body ava. Nae like the men she'd kent.

College-learned, fowk hid expeckit her tae merry a lad wi letters till his name. There'd bin college dances — genteel affairs — abody mim-moued, fair clartit wi civility, stinkin the place up wi etiquette, quotin dauds o' dirt o' buiks like they'd screived them thirsels. Bit nae kindness in their claik. They haunlit words like hyows, weedin oot yer mistakes for ye, hell bent on improvin ye, supposin ye wintit improvin or no.

It wisna Kirsty at yon affairs, bit a quine she hardly kent, affrontit o' her fowk, affrontit o' yer ain affront. College dances, like college fowk, wis like walkin barfit ower cut glaiss, like skitin ower bog, green and bonnie on tap, a quagmire aneth. The loons wore their pedantry like a skin, speiled lang langamachies on 'the meanin o' life,' fitever that wis — and them hardly brukken the shell o't let alane tastit the yolk. Barely weet ahin the lugs, nae lang oot o' hippens, they'd claik aboot politics, religioon, philosophy — onything ye couldna touch, or haud — ower feart tae let the bonnie broukit watter o reality rin ower them.

She didna feel safe wi them, nor easy...glowerin, jittery at a quine frae ahint their glaisses, like ye micht bite — couldna grip ye ticht an firm an sure in a dance, like the hill-bred lads. Nae sap, nae strength for a quine tae lean on...it hid aa run till their heid.

College wis a crossroads — traivel forrit or back. Kirsty had keepit the kent road. Patterns repeatin thirsels...that wis fit fowk sud be. So she'd merriet a local laddie, same stock as her faither. Hid he lived lang eneuch tae bairn her, that bairn wid hae been ages wi' Janet Cochrane, her that had wad the ootsider, McHardy frae Dunoon.

Aik Coutts dowpit himsel doon aside her, pechin wi swat.

"The bride's takkin a lang time tae shift. She widna be feart, wid she?" — he lauched. There wis coorseness in the lauch.

The compère wis ficherin wi the microphone.

"Cheenge partners please."

Cheenge partners. Bein feart. Kirsty kent aboot being feart, aboot cruelty.

The fairm...an' a neighboor's laddie tyin a yowlin kittlin intil a sack, syne steenin it doon the burn till it drooned. The kittlin, tearin at the sack, the loon, lauchin, the sack gaun slack, shapeless, floatin awa, cheenged athegither, intil a crushed, limp, ugsome thing ye couldna look on, kennin fit wis inside it. The loon, lauchin "Ye're pyed weel back, for ony ill ye dae," her fowk hid telt her.

Le Brun, greetin.

Richt efter feenishin wi Duncan, she'd fa'en in towe wi Robbie. It hidna taen lang tae ken she wis in deep this time — weel ower the heid. He hid jist tae look at her, for a new feelin tae claw at her insides — ain she couldna guide nor maister. If yon wis love, it wis coorse, fur the thocht and the wintin o' him widna lat her alane. She couldna thole fin he was aff-haun — like the meen fillin the wids bi nicht, the hale licht o' her bein hung on his moods.

An he WIS a byordnar moody divil. She'd jist tae wheeple, fur Duncan tae rin — she micht wheeple till she wis hairse, bit Robbie widna heed her; he wis aa pride. She couldna boo nor bend him.

There wis *ae* wye tae win him — the auldest wye, a wye she'd niver tried, bit abody tries come time, gin the wint be sair eneuch.

He'd been kinder nor usual, socht tae walk her hame frae the ball, bi the loch road. They'd stopped bi the larick wids, nae a sowel steerin bit the waves, and the win, soughin i the branches. It wis a cauld night; she cooried in aboot for warmth — for mair nor warmth. She wisna ill faired. Le Brun thocht plenty o' her. Half o' her wis willin, wis mad tae hae him. Fit if she did fa wi a bairn, that bairn's bluid wid be Robbie's — a thing he couldna tak back.

Bit it wis aa wrang, aa wrang...nae fit she'd thocht ava. There wis nae kindness in the jinin. He wis hurtin, hurtin, wi the full brute strength o' the man in him, that she'd kinnelt. An she micht yowl and scrat, and fecht, there wis nae mercy in him. She grat, like the flayed kittlin. Fin he wis throw, he redd himself up afore her like she wis dirt. She touched his airm bit he shook it aff.

"Div ye aye cairry-on this gait — wi ithirs?" he speired — as ye'd spik tae a hoor.

"There's been nae ithers Robbie, I swear it." Her wird, sae low, she hardly kent it, shakkin aa ower frae cauld, and shock, and fear.

He gaed a bit lauch, and a spit, as if the thocht pleased him fine, that he'd hid the bladdin o' her — bit didna believe her, jist the same.

She'd lost him, efter aa. The loon, lauchin.

"It's a lady's choice," he said.

She wis daen wi dwaumin.

"I made my choice lang syne, Jeems Cochrane, I've loved ae man, and I've beeriet anither. I'm nae sikkin a third."

TWA WEEMIN

A wheen years noo, Kate Gearie hid kent she wis superfluous as a plook on a grumph's bihoocher. The mail wis addressed tae her man. Veesiters war his freens. The verra T.V. wis commandeered bi the bairns. She wis a glorified skiffie, like maist weemin-bodies in the clachan o' Killjoyin.

"Ye sud ging oot mair, lass," quo her mither. "Buy a dug."

A wyse craitur, Kate's mither. Killjoyin wis bonnie, auld-farrant, smaa's a pictur postcaird; gin a tourist hoasted, drivin by, he widna ken it iver lay on the map. "Gaun oot" in Killjoyin wis a thocht fikey, fur there, fowk keepit their lugs tae the grun an their een steekit close tae the windaes, cockin ahin the screens like raws o' geraniums. Tae gang oot fur eerins, tae cowp the aisse, or tae hing oot washin, wis dandy. Bit fur a lane wummin tae daunder tae the wids, dug-less, jist tae kick her taes ben the stoor fur the fun o't wid hae kinnlet a lowe o' sklaik that wid fear ye. Fit the native Killjoyins tint in tolerance, they mair nor made up fur in ill-thochtedness.

The highlichts o' the place ticked aff seasonal, like a weel-thoomed calendar — Yule psalm-singing, Beltane fêtes, an a simmer jamboree o' nae Celtic flamboyance, ower-watched bi hefty chiels hunkit inno denim jeans, beer-belly scalin ower the belt, gollupin half-raw hamburgers aneth a heeze o' midges. Whyles a sup slaikit teemed the barra o' tedium, an the auld bodachs wid wring their hauns in vacarious titillation, like stertled craws. Sklaik wis a moral thermometer in reverse — fin fowk turned cauld on ye, ye kent ye wis damned. Life at its dreichest wis queuein fur the kirkyaird, far generations o' Killjoyins lay in guid, godly raws as mim-moued an nerra-mindit in the mools as they'd bin i the flesh. Whyles Kate thocht she'd already jined them — that she'd deid, bit naebody telt her, she wis that scunnered o' the sameness o't.

Gin onything byordnar happened, she wis a cat wi a killt spurgie...ruggin the happenin intil her thochts, an feedin on't fur days. Maisie's screivins war bobbydazzlers o' feasts...short-wirdit bit meaty.

"Hame frae Paris/Rome/India," Maisie wid screive, in her muckle furly haun, "An fan are we gaun tae foregaither?"

Dowpit doon in the Glesga howff, her freen aside her, Kate cud scarce believe she'd acceptit the invite at last. Her man John didna ken Maisie, which wis jist as weel as he widna hae approved. Kate hid telt him she wis gaun tae veesit a sick aunt, taen aback at the skeelie wye the lee rowed aff her ain tongue. She'd spread this tale thick ower Killjoyin...wis twa-faced eneuch tae swither aboot gaun.

"Oh, ye maun help yer sick aunt," quo the beadle's wife. "It's the Christian thing tae dae."

Kate raiked ben the bag fur the return train ticket, kennin fine it wis safe there atween the Bank buik an the Brownie raffles.

"Ah wish ye'd relax, Kate," quo Maisie. "Tak yer coat aff hen. Naebody's gaun tae rape ye." She oxtered her wye alang the bar.

"Twa doubles son an a packet o' gaspers." The barman smirked wi divilment.

"Wha's yer wee pal, then — Granny's Heilan hame in the doldrums?" he speired.

Maissie's birsse raise.

"Lay aff her. She's sufferin frae a wee dose o' — male chauvinist piggery. A whyle oot o' the stye'll dae her the pouer o guid."

"Oh ay," snichered the barman. "An ye'd be the body tae fry ony grumph's bacon."

The dram gaed doon weel; Kate lowsed her jaiket, winnerin sud she phone hame. Bit, na, they'd likely niver even missed her. A muckle clorty creashie chiel in dungarees wis ruggin on the fruit machine like forcey milkmaid. He luikit byordnar like Dougal Bain, the Killjoyin baker. Kate tuik fleg — the dram jeeled in the glaiss — it wis a fause begeck. Naebody kent her in Glesga. Naebody cared tippence gin she drank hersel legless, laiddered her tights or spewed on the khaki carpet. It wis a delichtfu sensation — a forgotten sensation — a richt fine sensation.

Maisie hid bin on the wine, afore meetin Kate.

"Ah hate hoosewirk," she minged. "Whiles, a tak a wee snifter tae win me throw the hooverin."

Kate didna approve. She scrauned her freen's face fur signs o delirium tremens, or brukken reid viens across the neb. Nane war visible. Maisie grew confidential. "See him at the bar there? He plays trombone wi a jazz band. He's a wee stoater." The wee stoater wis fiftyish, wi sax-days stibble , an a weel-worn mug. His een hid the bluid-shot luik o' years o' caroose. Fin he hytered ower tae jine them, he waulked cannie, like a tar in a heavy swell. He dumpit hissel doon glowerin at Kate till her physog focussed.

"Dae I ken ye?"

Maisie dichtit up the introductions.

"Sure ye dae, Duggie. This is Kate. I telt ye aboot Kate. She's frae Aiberdeen. She's merriet."

Duggie's bumshayvelt mou doon-turned, in a luik o' profun' peety. Fur a meenit, Kate thocht he wis gaun tae greet. She cud hae cloored Duggie. Aiberdeen wisna that bad, though she cudna sae muckle fur Killjoyin.

"Oh is that nae rerr," he lamented. "Merriet! Tae the same guy. Ah mean, fur years, an years?" He gart her seem like a Vestal Virgin. Fiddles micht play "Oh Perfect Luv." The nostalgia wis scunnerin. Neist he wid likely speir if she wis a mither, an her halo wid be perfec, a milky, Rennaissance Madonna. He raxed ower the table.

"Dinna get me wrang, hen...bit hiv ye niver hid the urge — jist aince?"

The wirds crined in his mou, as if Duggie wis feart he'd spukken a profanity afore an idol.

"Of coorse I've hid the urge," quo Kate. "I'm as human as yersel."

She cudna believe she wis haein this spikk — wi a fremmit Glesgwegian, at that. In Killjoyin ye newsed aboot the weather, the kirk sale, the price o kye;

ye claiked aboot beerials, waddins, christenins. Ye newsed aboot onything bit...that.

Her glaiss wis teem; her morale wis teemer. The bell fur suppin up hid rung. Duggie shoved a murky, slivvered, weel-fingered pint her wye.

"Cowp it doon, hen, I'm guttered onyroad. I ken the feelin."

She teemed it dry. It wis weet, warm, slokin, an it hit the drams wi the virr o the Titanic, holed amidships. Lichts grew brichter — spikk grew louder. She wis creepin ooto her neuk, a wellingtoned dyeuk teeterin on the rim o Swan Lake.

Syne, she tuik fleg. She'd supped frae the glaiss o' a ne'er-dae-weel. A trombone-tootin male-menopausal hippie. A Glesgwegian, tae tap aa. Fit if he hid herpes? Fit if he hid Aids? Ye read sic affa things. Ye cudna be ower cannie...It wis ower late, noo...

"Hiv ye telt her?" whispered the unsuspeckin Aids-suspect intae Maisie's lug. "Hiv ye telt her yer bidin the nicht wi me?"

Maisie smiled.

"Och, I said I'd luik efter her — she'll be nae bother. She's jist a thochtie...blate. Ye canna aff-cast the wee sowl tae fen fur hersel in Glesga."

The trio treetled oot, ontae the derk cassies o' the toun, Kate humfin the cairry-oot, a chaip bottle a plonk. She luikit unca like a library buik that the tither twa hid read, bit jeloused tae be gey puir readin. Ootbye a laundrette, Maisie an Duggie stoppit, enjoyin an ee-birrslin kinoodle. Kate wis black-affrontit. Fit if fowk war luikin? She cud hae throttled Maisie. Maisie keckled an squirmed as Duggie bestowed roch beardie on her, an a bosker o' a bosie that wid hae gart Mata Hari's taes curl. Naebody bit Kate batted an ee.

A wino wis gibberin filth tae a post box...He widna hae bin tholed five meenits in Killjoyin, afore the polis wad hae bin telt, tae yark him aff tae a midden o' an institution. Bit this wis Glesga, an naebody heeded.

It wis weel by midnicht, bit the toun wis lichtit like a Yule-tree, a muckle black bear streekit oot aneth the lift; the road, the traffic, wis burns o' sequins ripplin ben its paws. They stoppit, at the mou o' a derk close.

"Maisie," quo Kate, in a teenie-weenie vyce. "I'm nae weel. I'd like tae gaun hame."

"Havers," said her freen "Dinna be sic an auld wife. Duggie disna bite." Kate wisna sae sure. Maisie, an Maisie's cronies, war some like conjurors. Ye didna ken fit micht lowp oot o' the hat neist.

Duggie's hame wis a stammygaster. It wis a man's hoose, bit skyrie's flamenco. Kate thocht on her ain hame — a minuet in gray. Naethin in't wis hers. Fin kinsmen deid, they willed her their trock, left-ower frae the grave...granmither's bed, uncle's chest o' drawers, the verra cheers hid come wi the hoose. New-bocht gear wis John's. Duggie gart her sit doon, plunked a wine glaiss in her neive. He wis the Gleswegian kirn o' hospitality an quick natur. He began newsin tae Kate, a fisherman winklin a buckie lowse frae a stane. It hid bin that lang sin onybody newsed tae Kate, aye, really spukken till her, that her wirds slipped oot at aince — a tap speed birth. Maisie scuttered aroon, makin a doss-doon bed fur the veesiter, an Duggie smooriched ower her in the by-gaun, like they'd bin a young daft coortin couple, an nae a middle-aged tow-rag wi a casual bidie in.

It wis 3 am fin they beddit, leavin Kate alane on a cloud o' euphoria, a jumbo jet deistin saftly doon a lang runwye intae sleep.

Neist morn, it wis Glesga itsel that waukened her — the gallus soun o' humanity strivin tae droon the dawn chorus. There wis a wee explosion inbye Kate's heid, her mou tastit vile's a wrastler's underpants; a nesty clan o clog-dancers wis lowpin on her een. She haived aff the blankets, blearie-eed.

Ma Certes! Wis yon the time? She wis due at the station!

She rowed up the bed, strauchtened her claes, an socht oot Duggie an Maisie, tae say her fareweels. She dauchled at the bedroom door...Fit if they war?...Weel, if they war, they war. She tuik a lang braith, chappit, hoastit three times, an gaed in.

The bold twa wis lyin apairt, soun asleep. Yon wis a relief onyroad. She creepit roon tae Maisie, an tappit her showder.

The sleepin wummin waukened, an steered, smilin up at Kate wi a bonnie, open face. It wis the face o' a cleansed, innocent bairn. Kate wis ashamed fur thinkin ill o' her. Syne Maisie did an unca thing. She furled ae airm aroon Kate's neck, an kissed her. It wisna an unnatural kiss. It wis a kiss o' pure freenship. It said, simply, "I ken ye Kate Gearie. I set store b'ye. Fur me ye exist."

An Kate stiffened like a boord, sae eesed wi clammin up, she cudna respond. She hurried faist awa, back tae the protection — or wis it the destruction? — o' hame.

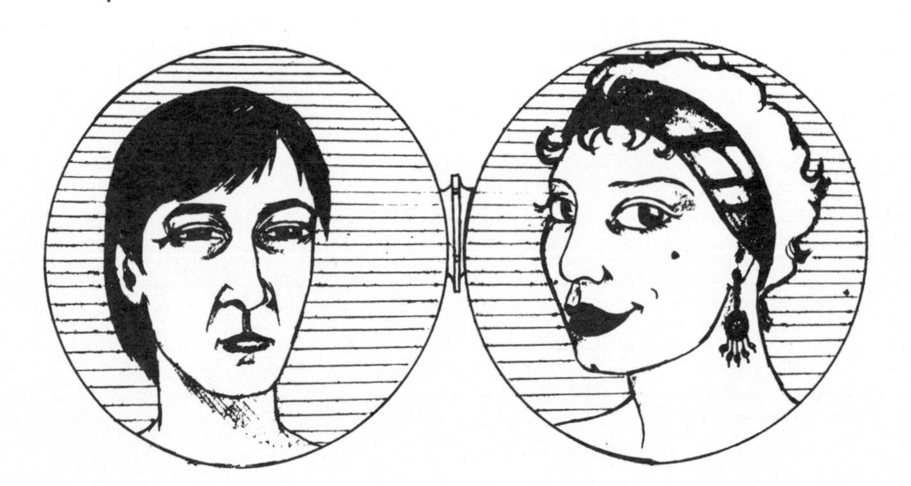

It's bin said that an Englishman's hame is his castle — bit Lizzie Cochrane widna hae kent aboot that, brocht up in an ordinary hoose, in the mids o a Scottish toun. Her hame wis mair o' a keep. There wis doors tae keep her in, an a heich dyke ootbye tae keep aa ither body oot. Gin the front door hid bin the drawbridge, it maun hae been gey rooshty, fur it hardly opened ava. The passwird tae win in, wis Doric, spukken in full flood b' the Cochrane's kinsmen, or wattered doon Doric that posties, scaffies, or tradesfowk used. The key tae win inside, wis tae be sib tae the Cochranes or chief wi them.

There wis, of coorse, the obligat'ry aince-yearly veesit frae the meenister, or calls frae the doctor fin a Cochrane fell seek — an syne there wis a reddin' up o' mainners an objects that wis waur nor a spring cleanin. Abody breathed easy, fin the veesit wis ower, and the door wis snibbit aince mair, for there wis naething delichted the Cochranes mair nor haein the place till thirsels.

Mrs Cochrane wis the maist ootgaun o' the hale kiboodle. She could spik tae onybody, she said, an geyn aften did. Mr Cochrane workit hyne awa, sae Lizzie anely saw her da at nicht, for a bosy in the by-gaun, which wis a peety, as she wis rale thick wi her da. On holidays, the Cochranes flitted till his place o' wirk, an bedd in the bonniest wee hoose wi nae waa ava an roads that led frae the door oot ontil burns and braes. Lizzie likit yon times best, an saved up her hale year's runnin and caperin, jist fur then.

Ye'd hae thocht that she'd miss haein a waa, fur the hills hid nane, but ye'll need tae myn that the Cochranes allowed things ower the waa that pleased them, an the hills pleased Lizzie mair nur onything. Forby, she cairriet a waa inside her. It wisna a waa ye could touch, or see, bit wis biggit ticht as the straangest dyke. It cud withstaun near onything. It wis caad, dourness. She jist wisna a sociable bairn. It wis something o' a faimily failin, dourness.

Auld Millie, her granny, likit tae tell foo a wummin frae the Rural hid aince travelled up till the fairm, afore the Cochranes settled in the toun, ain o' yon lang-nebbit, aff-takkin, ill-fashent breed o' weemin, wha'ur ay on the haik. Ye'd think it wis a sin fur them tae bide at hame.

"Ye'll be gled o' a bit company, Millie Cochrane," said the wummin, drawin a lang siller preen frae her velveteen bunnet, an plunkin hersel doon on the sofa. Auld Millie wis in the mids o' bakin bannocks fur the menfowk comin in, sae she didna mince her wirds.

"Damn the bit," quo she. "An' ye needna park yer doup there. I've nae time tae waste on sklaik, an less tae waste on yersel."

Weel, the Rural body didna like it, nae wan bit. She clappit back on her bunnet, there wis nae help for't, an' stamped aff doon the road, miscaain the Cochranes aa the wye. They didna deserve veesitors, she said. Dour brutes, the lot o' them. They wis aa tarred b' the same brush, bit some mair tarred nor ithers. Wattie Cochrane frae Whinrashen, needed anely ae whiff o' a veesitor, an took himsel aff till the byre, till the best cheena wis laid by. Ye'd hae thocht the plague hid cam' tae Whinrashen, insteid o a puckle scrunts o' fowk, tae hear him. He said he'd raither commune wi the nowt, nor hae his lugs battered b' eeseless spik...an fa wis sikkin them onywye, he wintit tae ken? Hid they nae hames o' their ane, nae wirk tae dee? A damned deave, faiver invented this veesitin cairryon — ten tae wan, the chiel maun hae been an Englishman, it wisna a Scottish institution.

Lizzie's mither, though, wis anely a Cochrane b'merriege, an she likit a cheenge o' face. Ilkie year, on the quine's birthday. Mrs Cochrane bakit a cake, clartit wi' icin, an sent oot invites till aa the bairns in the street. Syne she gart her dother sit doon and crimpet her tousie hair in curlers, takkin nae tent o the lassie's squallichin.

"We maun hae ye lookin yer best, an nae affrontin me, afore yer wee guests," she wad say, ignorin the fac' that Lizzie cudna thole ony o' them.

Girn as she micht, there wis nae winnin oot o't. Her auld claes wis tirred an hidden, an on gaed a pink nylon frock, stappit aneth wi petticoats. It wis like weirin a hedgehog. It wisna comfy. She felt like Joan o' Arc, efter the fire, aa scrats, an nae fit fur human een.

The Cochranes war hefty stock — ye cudna live on tatties an dumplin aa the time an nae be hefty, an pink frocks wisna kind till stoot hurdies. Her mither didna seem tae notice.

"It's a real treat tae see ye lookin like a lassie fur a cheenge. Fit a swank ye'll be. An ye can lay yon foosht o' a Teddy by."

Teddy hid ae ee, an wis nyakkitt o' fur, bit Lizzie hid shood him a pair o' tartan troosers, wi a spayver, jist like das. It wis the only lassie-like thing she'd iver dane. Mrs Cochrane hidna likit the spayver. She said ye could gang ower the score, wi' makkin toys look real. Maybe yon wis fit wye he'd tae be laid by, him bein a loon Teddy, widna win till a quine's pairty.

"I dinna wint a pairty," wailed Lizzie. "I dinna like frocks."

Her mither made on she hidna heard.

"Oh, we'll hae pass the parcel, an ring a rosies, an jeely, an ice cream. Oh, it'll be a bobbydazzler o' a pairty."

An sae it wis, for aa ither body. For Lizzie, it wis waur nor the Spanish Inquisition — she'd raither hae tholed the thumbscrews ony day. Half through Postman's Knock she cowpit the jeely ower the table, liftit Teddy b' the lug frae ahin the sofa, gaed ben till Auld Millie's room, an grat.

"Are ye nae enjoyin the pairty?" Auld Millie spiered, ower the heid o' her glaisses.

"I dinna like pairties. I dinna like frocks. An' fit's mair, I dinna like fowk." Auld Millie laid by her wyvin, an stroked the crimpet hair.

"Me, me, ye dinna like muckle, then."

The snufflin an girnin grew waur.

"Dinna tak on like yon. Ye mauna say ye dinna like pairties, efter aa yer mam's wirk. An' it's a bonnie frock. She made it hersel. An' as for fowk — there's a gey lot a them gaun aboot, ye ken. Ye'll hae tae learn tae get eesed wi them."

The sabbin, dwinled doon till a snuff.

"Fit wid ye really wint, fur a birthday treat, dearie?"
Lizzie didna hae tae think lang.
"I'd like tae gang fishin wi Da, up on the hills. An I'd like tae be a loon."
Auld Millie leuch.
"There's nae denyin loons hae the best o't. Bit ye winna aye think that, ye'll meet a lad some day, ye'll wint tae mairry."
The wee face lichtit up.
"I'll mairry da, then!"
Auld Millie keckled..."Ye canna mairry yer da, lassie. He's a wife already. Fit wid ye dee wi' yer Ma?"
Lizzie hid torn aff the pink frock, an tramplit it. She wis spittin on Millie's caimb, ruggin the teeth o't ben the hated curls, tryin tae strauchen them oot. Gusts o' lauchin blew frae the pairty-room, Mrs Cochrane wis organisin a strip the willa. Fit richt hid they till enjoy her birthday?
"I'd like tae pooshin hur." quo Lizzie.
"Dod, bit ye winna," Auld Millie wisna lauchin noo. "Ye winna pooshin naebody, ye wee bizzim. The verra idea."

* * * * *

Auld Millie wis richt of coorse. She wis aye richt. Lizzie did meet a lad, an she did get merriet. Bit there wis ae thing wrang. He didna hae a waa. Francie wisna Cochrane stock, ye see, he wis half Geddes, half Smith, an there wisna a mair open an sociable crew, nur the Geddeses and the Smiths. Lizzie hidna noticed this, fin they war coortin. Francie likit a shy lassie, an his boldness trysted her oot o' her neuk. Bit ile an watter dinna mix, an God help them gin they mairry.
She'd barely gotten ower the hinneymeen fin Francie held her gaun wi a steady stream o' veesitors — mair veesitors nor beasts at the Mart, whyles, nae jist wee suppies o' them, bit charabangs full. They cam in aa shapes an sizes —faith Lizzie didna ken the warld held sae mony varieties o' obnoxiousness, bit she wis aye learnin. They didna tak the huff easy, either. Seein's Francie wiz easy-ozy they took it tae be, that sae wis his wife, an it wis "Lizzie this", an "Lizzie yon" even tryin on a wee kinoodle the damned dirt, tho they niver tried twice.
Back frae the pub o' a Setturday nicht wid cam Francie, wi a squatter in towe — the swypins o' the inn fleer, Lizzie said. He collecktit strays as easy as a yowe taigles wi' sticky burrs. It wisna as if she cud get a wird o' sense frae wan o' them — for if they waurna fou, they war weel on the wye tilt.
"Ye'll hae a wee dram?" he'd say. "Lizzie, the glaisses quine, an a wee drap watter fur the veesitors."
Syne Lizzie wid bang doon a milk bottle afore them reamin wi watter, garrin it splyter ower the table makkin sure it wis nane ower clean. Francie didna gee his ginger. He luiket at Lizzie fondly.
"The wife will hae her wee joke. Dae ye like wir best crystal? Nae pit on wi my Lizzie. A brew o' tea widna gang amiss, lassie, an a wheen sandwiches."
They got sandwiches, richt eneuch! The hardest, horniest dauds o' loaf she

cud fin, that even a starvin spurgie wadna hae etten, happit wi the thinnest chaipest scrapin o' jam, clappit doon in front o' them, wi as muckle's inciveelity as she cud muster. Syne she took hersel aff the kitchie, tae coont the tiles, or redd up the knives an forks, till they left. It wid amaze ye, foo mony tiles she cud coont, an foo aften she redd up the cutlery, afore they left. For Francie wis a gran host, like a flooer in the sun, yon wis Francie wi fowk. He thrived on company.

* * * * *

It wisna surprisin, then, that he'd sic a big funeral, fin the time cam. There wis nae tea efter, though, Lizzie saw till that. They'd watter in the taps the same's her — they cud mak their ane tea. She walked hame frae the kirk hersel, shut the door, an raxxed oot in Francie's seat, fair enjoyin the quate, mistress o her ain hoose at last.

A puckle wikks efter, the meenister chappit at the door. It wis lockit noo, nae mair open hoose. He'd tae wait a gey lang time, fur an answer. "Puir wummin" he thocht. "It'll be the effects o' grief." For aince Lizzie wis near sociable. She cud pick an choose her fowk noo, hid lived lang eneuch tae ken that the antrin rose did grow on the midden — an if the rose turned intil a docken she wisna slow at howkin it oot. She even offered the meenister tea, o her ain volition.

The meenister cudna get ower the cheenge in her, as bricht's a new preen.

"I widna hae taen Francie fur the kin' tae wint cremation," he said, ower a rock cake."Especially as I happen tae ken, ye've bocht a bit grun b' the kirkyaird dyke, fur yersel."

He feenished the cake an raxxed oot fur anither, bit Lizzie wheekit the plate awa. Ye cud ging ower the score wi hospitality.

"Ah, bit ye dinna ken him like I did," she said. "A box in the grun aside a dyke wid be nae eese ava till a man like Francie. Ye see, he didna like waas."

Aunt Eadie hid bin as muckle a pairt o' Kate's bairnhood, as the fooshty pictur o' Sir Walter Scott hingin sweejee in her mither's lobby, an the nasturtium that powkit up frae naewye ilkie year aneth the overflow i the gairden.

In the raivelled clamjamphrey o' thochts an meenits o' Kate's life, Aunt Eadie wis gey near tap o' the pile. Eadie, hid gaen frae fair, fat, an forty tae saxty an' a timmer sark, wi unca speed, fin ye thocht aboot it. An Kate did think aboot it. Aften. Her earliest pictur o' Eadie wis a Setterday ane; ay Setterday, fur yon wis veesitin day. Of coorse, there wis Uncle Duncan, tae, bit like Scots mist, he wisna byordnar memorable. He wis a sharger, a peely wally, a scruntit apology o' a craitur fa'd say 'pardon me' fur breathin; tho ye cudna fault him on ae thing, he wis fair besotted wi Eadie. Affection seepit atween them like scaled seerip, losh, it wis scunnerin tae watch. Kate mindit, syne o' the 'roses' Setterday...

Aunt Eadie hid bin poorin oot the fly. She wis a muckle, brosy skelp o' a wummin wi kiln-crackit legs an niver a soun pair o' hose tae hap them. Efter she haundit the veesitors their fancy pieces, she dowpit doon in a low steel, an crossed her legs. Kate cudna help bit see, teetin frae aneth Eadie's skirt a set o' Parisienne silk drawers that hugged her hurdies like a secunt skin, pink as soos' snoots, an gaithered in ticht elastic at the knees. Uncle Duncan's een watched them an' aa, scunnered ye yon, like a cat suppin cream.

"Bonnie roses Eadie," Kate's mam said, glowerin at a boorich o' riotous blooms, cockin abeen the tablecloot.

"Roses," quo Eadie, "Are like fowk. A wirdie o' comfort wirks winders!"
On the road hame, Kate's mither wis unca quate an thochtfu.
"Fancy oor Eadie spikkin till her roses. Jist fancy!" she said.
Neist time they veesited, the flooers hid bin swapped fur a black, hefty, telephone.
"Isn't it jist perfection," trilled Eadie ower the heid o' the new phone.
"Isn't it fair the verra dab!"
Kate cudna agree. Her mither's phone wis a damned deave. Phoneless neiboors held lang langamachies on't fur oors, ay fin Kate hid new-washed her hair, or fin her best-likit T.V. programme wis on. 'Brrrring' wad gae the wee tyrant. Nur wud it be quate, till ye answered it. Syne, gin ye liftit the receiver, "Can I spikk tae?" the vyce wad speir...niver fur Kate, though. Na, na. Aff she'd hyter, bannin aa the road, sax doors ben tae fetch Mrs McPhee, the maist persistent o' phone-users, ay it seemed, in poorin rain, or blin drift. Yon phone wad be the daith o Kate, yet Mrs McPhee wad rowe hersel roon the phone cord in raptures, rowin her een in pious indignation, lettin skirls oot that war tantalisin, bit vague.
"Nivver! She nivver did YON. By God, yon taks the cake! Of coorse I ay kent it wad en up like thon..."
Frae sic tasty bitties o' sklaik, Kate drew fancifu conclusions. Mebbe the baker hid fiendishly dane awa wi Mrs Riddler frae the en' hoose. Mebbe Mrs

McPhee's fat sumph o' a loon hid bin the victim o' a Kissogram. Mebbe Granny McPhee, fa wis a cross-eed, ill-natured auld vratch, hid chokit on her dother's skirlie, an battered Mr McPhee ower the heid wi the remains...

Kate aften conseedered snippin the cord wi the shears, an blamin the McPhees fur weirin it oot wi constant use, bit likely, her mither wadna believe yon. Aunt Eadie, maist surprisin'ly, didna aften phone. She wis a bittie feart o' her prize possession. She dauchlit ower the diallin an there wis ay a lang wyte afore she spukk. Her wirds cam lood an slaw, as if the listener wis baith deef an daft. "Sorry tae bother ye, lass," Aunt Eadie wad ay say. It niver differed. "Sorry tae bother ye lass."

In the coorse o' time, Kate's veesits grew less, as wis anely natural. The lassie wis growin up, makkin her ain freinships, brakkin ooto the faimily click. Whyles, tho a wee gift wad cam b' Uncle Duncan, a pat o' hame-made butter, a wheen eggs, a pot o' hinney. Eadie cudna thole traivellin on buses or cars, say she ay bedd at hame. Kate wid feel a thochtie remorsefu. She wad gyan an see Eadie sometime.

Uncle Duncan, fan he cam, luikit peely-wallier nur iver, a runt o' a craitur booed twa-fauld's a buckie. Eadie wad ootlive him b' years, yon wis certain, Kate jeloosed. She wis horrifeed tae realise, it wis a pleasin notion.

As things fell oot, she wis wrang. It wis Duncan fa wis left, Eadie fa deid first cairried aff in a splurge o' Spring cleanin, cowpit ower the airin cubbie wi the dustin cloot in her haun. Kate's mither gaed regular tae veesit Uncle Duncan ben his bereavement. Ilkie time she gaed, she cam back mair sair made nur afore.

"If he wad anely greet the hurt oot, it wad be less hard on him. Jist sits there in a dwaum. Says, if he cud anely hear wird o' her, he's be easier in his mind. He's hid the phone taen oot. Says he canna thole tae luik at it, Eadie wis that prood o' the thing..."

Kate wis wirkin late. She'd a puckle buiks tae read, ower taen up wi gallivantin roon dance haas wi her freins she'd bin, tae dae muckle studyin, an her exams winnin roon. The hauns o' the clock raxxed up tae midnicht, the coals i the fire melled tae a reid aisse. Naethin steered in the hoose, bit the skyte o' ilkie page as the quine turned them, heid booed. The quate wis thick eneuch tae cut.

Brriiing...the phone wis ringin, lood an lang, brakkin the quate. Ringin, ringin, ringin, fit tae wauken the deid. Damn the McPhees, thocht Kate, lettin it ring. Sune her mither wad hear it. She wad hae tae answer it. She liftit the receiver, syne stude, helpless an dumfounert, as efter a wee pause, the vyce at the ither en, frae hyne awa, quavered in her lug.

"Sorry tae bother ye, lass...."

1
2
3
4
5
6
7
8
9
0
KINGDOM
COME
999

Lennie Buchan wis harrigal-thin, his knees as knobbly as twa piz stuck doon a pair o' drinkin straws. A forced plant, wha's breenged up ower seen tae greet the sun, he ay lookit peely wally, as if affrontit o' his prodigious growth.

He hunched hissel up fin he traivelled; his neb dreeped, his een wattered, and his skimpit grey schule brikks wis gad-sake-glued wi' dauds o' bubblegum. Stains o' suspicious broon clung aboot the lirks' o' his doup, an' gin aa this wisna eneuch tae damn the craitur frae favour foriver, he hid skyrie reid hair peppered wi dandruff, a ploukie face, wee bauld bits on his heid and a niff.

"Niffy Buchan" his tormentors keckled in glee, frae the neuks o' the playgrun'. Mysie Anderson, wha sud hae kent better, her bein' a meenister's dother, speired at him aince if it wis true his faither wis a daddy-langlegs.

He tholed it aa stoically, as if ridicule wis his birthricht, an' mebbe it wis. Fin Mrs Walker gart Jessie sit aside Lennie as a punishment for spikken through 'Dictation', she thocht the warld hid caved in...shuggled hersel til the benmaist bit o' the seat, fearin that the contagion o' unpopularity micht be smitten.

Mrs Walker didna care for Lennie Buchan. Her green cat's een nerrawed fin they lichtet on him. She niver haunlet his jotters the hairty, easy wye she held the ithers, bit at airms length, as if the dotted 'i's the craitur tried screivin' micht transform thirsels intil bourichs o' lice, loupin in droves doon the faulds o' her paisley pattern smock, tae glut thirsels sick on the creashie horizons o' skin that the silk undies happit. Jessie kent they war silk — the hale class kent they war silk, for fin Mrs Walker sat doon tae play the piana for the mornin' hymn she aye crossed her legs at the 'Amen' afore she snibbed the lid, exposin' fite silk drawers held at the knees wi ticht elastic. On cauld days, she wore blue worsit anes; Mrs Walker's drawers wis better nor ony barometer, Mysie Anderson said.

Efter a while, Jessie grew eesed wi sharin' Niffie Buchan's desk.

He wisna a coorse loon. He'd gie ye his last bawbee, if iver he hid ain tae gie. He wisna roch, nor ill trickit; he bothered naebody. So fit wye did abody pick on him? Jessie hid seen a hen on her uncle's fairm, wi half its feathers rugged oot...scunnerin' tae look at. Fariver it socht solace, there wis nane a-gaun; naewye tae hide its misery. The ither hens picked it till it bled, frae pure coorseness.

"Nature's got its nesty side,"her uncle telt her. "The hen's a sharger—a runt. It wisna born tae thrive, an' the rest ken it. Ye ken b' its luiks." Hens wis daft. Ye'd need tae be daft, tae lay eggs day in day oot, wi' niver a chucken tae show for't. Jist sittin' clockin', snappin up the seeds wi yer wee daft beak, yer wee beadie een that intent on the grun' that ye couldna see by the end o' yer ain neb, couldna see Uncle Soutar wi' his lang, sleekit airm raxxin doon tae thraw yer neck.

Nae that yon sicht bothered Jessie. She niver grat, like some toun bairns did. Hens warna fowk, after aa. Sunday denner o' skirlie, neeps, and tatties widna be the same without a bittie roast chucken aside them. Tasty things hens, bobbydazzlers, birsled.

Mebbe Niffy Buchan wid hae been happier gin the midwife hid thrawed HIS neck at birth. He couldna get muckle pleisure frae livin, onyroad. Mebbe the hens war better aff than him. At least they warna expeckit tae coont. It wis lang division day, and Mrs Walker wis clickin' atween the desks wi the tails o' her tawse hingin doon, a havered adder, frae her pooch. The bite o' the tawse wis waur nor a snake's, it dirled somethin' terrible, a quick stoun, syne a risin weal ben yer palm. An' ye daurna rin snivellin hame...

"Ye'd likely been needin't," faither wid say, and yer mither wid clout ye for clypin'.

"Didna dae us nae ill" wis aa the comfort they'd gie ye.

Waitin' for't wis waur nor gettin' it — a wee Christian in a Roman amphitheatre, waitin' for the lions tae breenge out, lions that hidna seen meat for a month...wi' muckle snappin teeth. Abody's een on ye, shakkin in yer sheen...

At playtime, ye'd swank roon the railins, swaggerin' wi' a desperado's bravado.

"Wist affa sair?" Mysie Anderson wid speir. Mysie Anderson wis niver belted. Mrs Anderson widna daur belt a meenister's quine, that got twa aipples for a playpiece an' a serviette tae eat them aff, aye, wi' twa pigtails wi' real gold slides in them, like Boadicea in yon history buik.

So ye'd swall up, bigger nor a puffed puddock, makkin on it wis fair agonisin', bit bein a hero ye hadna gaen the auld bat the satisfaction o' garrin ye greet. Ye'd even scapit the weal ben the grun' tae makk it seem waur, gettin a bar o 'Coo Candy' frae admirers wha'd niver been belted.

Mrs Walker's sums were affa hard that day. She wis in a by-ordnar ill-teem. Mysie hid forgotten tae watter the hyacinths, an ' half o' them wis deid. As the sums merched ower the board, wi aa the force o' a Napoleonic war, there wis a sickenin' screich as ain o' Mrs Walker's lang pynted nails broke on the chalk. She didna sweir, tho'. Mrs Walker wis ower genteel for that. Fowk wha wore fite silk drawers widna ken foo tae sweir. She pursed up her mou, an' nerrawed her een, ferret-like.

It wis jist then that Jessie noticed Niffy Buchan'd wet himsel; the watter wis dreepin' ontil the fleer.

"Could ye nae ask oot?" she whispered. He wis near tied in knots, his lang legs kerfuffled, his hauns grippin his spayver.

"Ah wis feart she'd rage me," he whined. "Dinna tell her Jessie. She'll belt me for sure."

She wid, an' aa. Jessie fichered in her pooch for her hanky. There wis a sweetie stuck inside she'd been savin' tae sook at playtime; bit she couldna thole tae see puir Niffy in sic a tirrivvee.

"Dicht it up wi' that, afore the auld buggar notices..."

He gied her the kinda luik a dog gies ye, fin it gets a clap insteid o' a clour, syne he blotted oot the tell-tale puil wi the hanky, an' hid it ahin his schulebag wi' his fit.

"Leonard Buchan!" Mrs Walker's vyce wis barbit weer teirin' ben yer lugs. "Stop fidgeting. I'll not tell you again child, this is a LAST WARNING!"

A hummled giraffe, his lang neck hung meekly doon. Mysie Anderson snichered. If Jessie could get near eneuch for ae guid rug o' yon yalla pigtails, she'd sune turn *her* gas doon till a peep. Mysie Anderson's loaf wis buttered baith sides, wi' jam on, yet she wis waur nor ony fur baitin' Niffy. She didna learn yon in the kirk; yet Mrs Walker fair idolised her, the pan loaf dirt. It wid be the yalla pigtails, wi' the gold slides likely, that gart Mrs Walker tak sic a shine tae Mysie. Jessie'd heard a story aince, aboot Samson. Noo, gin she could jist get Mysie tae play hairdressers, and wheek oot a real shears, twa snips wid mak aff wi' the pigtails and Mysie widna be Mrs Walker's pettie ony mair...

"Jessie this is a TIMED arithmetic test."

The hairdresser's shears were set aside. For the neist half 'oor, there wisna a soon, bar the clap clap o' Mrs Walker's broon brogues clumpin back an fore atween the raws. Ilkie heid wis doon, sookin the chawed stumps o' leid pencils, coontin imaginery numbers on swytin fingers, addin, subtractin, dividin, till pluses and minuses swam in yer harns like midges on a simmer's day.

Mid-ben a sum, Jessie heard a saft pat-pat, like hett-fitted mice, loupin on Niffy's jotter, so she slid him a sydewyes keek. He wis greetin noiselessly intil hisel, nae sabbin, jist like a leakin' seive, tears an' snot rinnin doon his face thegither.

"Are ye nae weel?" she speired. She'd niver seen Niffy greet afore, tho God kens, he maun aften hae been gey near tilt.

"Ah canna dae thae sums. Ah jist canna dae them, Jessie. She'll belt me fur sure..."

"Gie's yer jotter."

Mrs Walker wis powkin' the hyacynths. She thocht a lot o' yon hyacynths. She wis terrible sensitive ower flooers, an' Nature. She'd nae feelins left ower fur craiturs like Niffy. It couldna be easy, bein' a teacher, an' easy affectit b' flooers. Fin Mrs Walker wis greivin the hyacinths, Jessie screived the answers on Niffy's buik.

Hard on the dot o' ten, the jotters wis taen in fur markin. Mysie Anderson flounced up tae the desk wi' them. Syne, it wis silent readin, whilst Mrs Walker did the corrections. Afore she sterted, she lookit frae the hyacynths till Niffy, as if it wis HIS wyte they'd deid, and she raxxed in her pooch tae touch the tawse. The loon wis fiter nor chalk, his wattery een reid wi' snufflin', miserable in his peed brikks. She'd belt him for sure-she wis ettlin' tae tak her spite oot at somebody, itchin' for an excuse. She cam till his jotter, her pen ready wi' its crosses. The pen froze, mid-air. Aa his sums wis richt.

Mrs Walker gaed Jessie a hard look; bit Jessie cud thole a luik, an' glowered richt back, nice as pie, gin butter widna melt in her mou. Mrs Walker luikit at Jessie again. Na, the quine widna hae gaen him the answers. Jessie hidna the gumption for that. It hid been that sleekit vratch o' a loon Buchan, copyin', tho' she cudna prove it. Jist the kin' o' thing ye'd expect frae him. Ye could tell b' his luiks...

A limited Scots Glossary, of N'East words in use today.

A
affront: shame
aiblich: worthless person
airt: region
aisse: ashes
antrin: occasional
argy-bargy: quarrel
ashet: dish
auld farrant: old fashioned

B
bannocks: pancakes
banshees: fairies
bauchles: worn slippers
bawbee: Scots halfpenny
bawd: hare
bedd: stayed
begeck: shock
bidie-in: mistress
biggin: building
bihoocher: bottom
billie: fellow
birkie: lively youth
birl: spin
birn: load
birrin: whirring
birsse: temper
birssled: scorched
bittick: little bit
bizzim: hussy
bladded: spoiled
blae: bleak, bluish, numb
blaiked: black-polished
blaikit: baffled
blatter: dash noisily against
bluffert: bluster, blow
bodachs: old men
bogle: ghost
bosie: bosom
bourich: cluster
braisse: brass
bree: liquid
breem: brush
breenge: bound
breet: beast
brods: boards
brose: oatmeal & boiled water
brosie: stout
bubbly-jock: turkey
buckie: edible sea shell
bumshayvelt: dischevelled
buss: bush
by-gaun: passing by
by-ordnar: extraordinary

C
cailleachs: old women
cannie: cautious
cassies: causeway
chap: rap
charabang: early car
chaumer: sleeping quarter (male)
chiel: man
clachan: hamlet
claik: tittle-tattle
clamjamphrey: mob
clartit: befouled
cleekit: hooked
cleuk: claw, hook, talon
cloored: struck
cloot: rag
clort: substantial substance
clype: tell tale
cobles: boats
connached: spoiled, wasted
coort: court (cattle)
cooshie doos: pigeons
cowpit: tipped over
creashie: fatty, greasy
crannie: crevice, little finger
crined: shrivelled
cribbit: penned in
cyards: tinkers

D
daddy-lang-legs: crane fly
darg: work
dauchled: slackened speed
daud: large piece
daunder: saunter
deave: bother
devauled: halted
dichtit: wiped
dirdin: thumping:
dirdit doon: dumped down
dirl: vibrate, tingle
divots: sods
dominie: teacher
dookin: ducking
dowpit doon: sat
dozie: stupid
dreepin: dripping
dreich: dreary
drookit: drenched
drucken: drunken
dubs: mud
dulse: seaweed
dumfoonert: astounded
dwaumin: day dreaming
dwinin: dwindling
dyeuk: duck

E
easy-osy: easy going
een:eyes
eerins: messages
eese: use
eident: industrious
ettle: to be eager

F
fang: large lump
fantoosh: fancy
feart: afraid
ferfochan: exhausted
ferlies: marvels
ficher: fumble
fikey: irksome
fleg: fright
flichterin: fluttering
fly: tea-break
foonerin: floundering
fooshionless: lacking energy
fooshty: smelling of decay
foreneen: morning
forkietails: earwigs

forrit: forward
fremmit: strange
furls: whirls
fuskers: whiskers

G
gab: tell-tale, mouth
ganzie: jersey
gart: made
gean: wild cherry
gear: belongings
geats: children
girn: moan
girse: grass
glaur: mud
glimpsk: glimpse
gollach: creepie-crawlie
gowd: gold
grieve: farm foreman
guizers: Halloween mummers
gushets: gussets
gype: fool

H
hackit: chopped
haddie: haddock
haik: gadabout
hairst: harvest
halflin: stripling
happit: covered up
harns: brains
hashed: hurried
Hecklebirnie: Hell
heezed: swarmed
heirskip: inheritance
heist: lift
hillock: tubby person
hinner-en: finish
hinmaist: latest
hippens: nappies
hirplit: limped
hoast: cough
hobblin: shake with laughter
hob-nobbin: keep in with
hoolet: owl
hornygollachs: earwigs
hose: stockings
hotch-potch: mutton broth
hudderie-heidit: shaggy haired
humfed: carried on one's back
hunkers: haunches
hunky-dory: perfect
hurl: ride
hyne: far
hyterin: stumbling

I
ill-faschent: prying
ill-tricks: mischief
incomers: newcomers
intimmers: insides
itherwardly: otherwordly

J
jeelin: chilling
jeelip: ladleful
jeloused: surmised
jing bang: whole amount

K
keckled: giggled
keek: peep
keenin: wailing
kerfuffled: dischevelled
kiboodle: entire amount
kiln-crackit: scorch-blotched
kin: blood relations
kinnlin: kindling
kinoodle: cuddle
kirk: church
kirn: messy mixture
kist: chest
kistit: interred
kittle: ticklish
kittlin: kitten
kye: cattle
kykin: excreting

L
langamachies: rigmaroles
larick: larch
latchy: tardy
lave: (the) rest
lear: knowledge
lickin: thrashing
lift: sky
littlin: toddler
loon: boy
lowe: flame
lowpit: leapt
lowse: loosen
lugs: ears
lum: chimney

M
melled: mixed
mim-moued: prim
minged: whined
minnie-minnie-mony-feet: centipede
mirky: merry
mishanter: misfortune
mixter-maxter: miscellaneous mixture
mochles: fingerless mittens
mochy: close atmosphere
moose-wabs: cobwebs
mowdies: moles
mowser: moustache

N
neb: nose
neeps: turnips
neive: fist
nettled: irritated
neuk: corner
nickums: rascals
nippick: small piece
nocht: needed
nowt: cattle
nyakit: naked

O
ootlined: ostracised
orra: worthless, bad
oxterin: underarm embracing

P
parritch: porridge

park: field
partens: crabs
pearlin: white lace
pechin: pantin
pee-heeing: making up to
peels: pills
peely wally: sickly
peenie: pinafore
perjink: finicky
pernickity: very finicky
physog: face
piddlin: urinating
pigs: stone bottles
pike: pick
pit-mirk: pitch dark
plavver: fuss
plook: pimple
plunkit: plumped down
plytered: squelched
pooch: pocket
pooshun: poison
powe: head
powkin: poking
preened: pinned
prig: beg
puddocks: frogs
pyock: bag

Q
quantered: crossed
queats: ankles
quine: girl

R
raiked: roamed through
raxxed: stretched
redd up: tidied
reemin: overflowing
reesed oot: praised
reeshle: rustle
reistin: resting
rickle: loose pile
riggit oot: attired
rikk: smoke
rocht up: excited
roose: temper
roosers: watering cans
roostit: rusty
roup: sale by auction
rowe: roll
rug: pull
runkled: creased

S
Sabbath: Sunday
sark: shirt
scaffie: street sweeper
scalin: spilling
scoorin: scouring, purging
scooshled: shuffled
scrat: puny person, scratch
scraunin: borrowing
screich: screech
screive: write
scunnert: disgusted
scutterin: time wasting
shag: cormorant
shank: leg
shargar: piner
sharn: cow dung
sheen: shoes
shelt: pony
sheuch: ditch
shilpit: puny
shood: sewn
showdin: swaying
shpeil: rigmarole
sib: related by blood
siccar: firm
siller: silver, money
silkie: seal
skeely: skilful
skelp: smack. large area
skiffie: lowly servant
skiffin: light amount
skirl: scream
skirlie: meal-pudding mixture
skirpit: bespattered
sklaik: gossip
skwatter: swarm
skweejee: squint
skyrie: gaudy
skyty: slippery
slaverin: slobbering
sleekit: cunning
sliddery: slippery
slorrach: slovenly woman
sma-boukit: shrunken
smarrach: crowd
smeddum: spirit, gumption
smirry: drizzling
smoorichan: kissing
smored: smothered
snib: fastening, latch
snicher: snigger
snifter: small dram
snochter: snuffle
snod: tidy
snoot: nose
snorrel: tangle
snyter: snub
sonsie: plump
sook: suck
soss: disgusting mess
sottar: disgusting mess
spayver: trouser opening
speir: ask
spirk: drop, splash
splyter: splash through
spunk: match
spurgie: sparrow
squallichan: squealing
stammack: belly
stammygaster: surprise
stap: cram
steekit: shut
stinch: morally upright
stoater: fine fellow
stoon: throb
stoor: dust
stooshie: commotion
stott: bounce
stravaig: saunter
stringle: thin flow
stumpie: short pen
styte: nonesense

sumph: simpleton
sup: drink
swankie: stately
swat, swyte: sweat
swatch: patch
sweenge: swing
sweir: reluctant
swick: cheat
swypit: swept
sypit: seeped

T
taed: toad
taiglit: entangled
tak nae tent: ignore
tapsalteerie: topsy-turvy
targ: shield
tattiebogle: scarecrow
tawse: leather punishment strap
tcyauve: weary labour
teem: empty
teenie-weeny: tiny
teet: peep
teetle: against
teuchter: country bumkin
thole: endure
thrapple: neck
thraw: twist, wring, oppose
thrawn: stubborn
thrifty: frugal
timmer: wooden
tint: lost
tirred: stripped
tither: other
tod: fox
toorie: bonnet
tousie, touzelt: unkempt
towes: ropes
trauchle: drudge, trudge
treelip: hanging thread of
treetled: tripped lightly
trig: neat
trock: goods, wares
tuilzie: fight
twa-fauld; bent double

U
ugsome: horrible
unchancy: ill omened

V
vratches: wretches
vrocht: worked
vyce: voice

W
wabs: webs
wag-at-the-wa: hanging clock
wallagoos: buffoons
wame: belly, womb
wanderin willies: pink weeds
watergaw: rainbow
wheekit: whisked
wheen: few
whunns: furze
winnock: window
wippit: wound
worrit: peppery person
worsit: wool
wyse (wyce): sensible
wyvers: spiders
wyvin: knitting

Y
yarked: jerked
yett: gate
yirdit: grimy
yoke: begin work
yome: aroma

AUTOBIOGRAPHICAL NOTE

I'm a first generation Aberdonian; both my parents originated in the county of Aberdeenshire. My father came of Deeside stock, folk who have farmed the lands of North Gellan, Coull, since 1622, until the present day; my mother was a farmer's daughter, from Hillhead of Cairnie, Skene. As with most county families, ancestry, kin-ship, and tradition, in terms of ballad and story, are very important to us.

Until I attended Mile End School, English was the language that emanated from the wireless, or the mouth of the minister, on a Sunday. We were an extended family; I learned my mither tongue from my grandmother, my kin, the Deeside Doric of my forebears. Also, we lived a nomadic existence, spending most of the year in town, but the summer months at Ballater, where my father's work was based.

The culture shock of school was traumatic. Thenceforth, my Scots went underground, spoken only at home. (Burns was studied once yearly at Mile End, otherwise, Scots was repressed, in ordinary speech). Later, at the Girls High School, (now Harlaw), Scots ballads were introduced, alongside Sir Walter Scott, as token samples only of our vast Scots heritage, which otherwise remained subsidiary and untapped, beside the English literary tradition.

At college, this changed dramatically. I was fortunate in having Bill McCorkindale as an English Lecturer, whose first task was to set his classes 'Modern Scottish Poetry, an Anthology of the Scottish Renaissance', ed, Maurice Lindsay, to study. My tutor at the time was Ian S. Munro, whose biography of Lewis Grassic Gibbon was published during this period. For the first time, I was amongst educated men, who set native Scots writing on a par with the finest in international literature. I never looked back. For opening doors, I thank them.

SHEENA BLACKHALL